COLECCION DE BOLSILLO
NUMERO 42   AÑO 1975

PUBLICACIONES DE LA
UNIVERSIDAD DE SEVILLA

COPYRIGHT: FRANCISCO LOPEZ ESTRADA
Y LOS DEMAS AUTORES
EDITA: SECRETARIADO DE PUBLICACIONES
DE LA UNIVERSIDAD DE SEVILLA
IMPRIME: ESC. GRAFICA SALESIANA DE SEVILLA
DEPOSITO LEGAL: SE-537-1975
I.S.B.N.: 84-600-6797-1
CUBIERTA: JOSE M.ª ARMENGOL

ANTONIO MACHADO,

verso a verso

(Comentarios a la poesía de Antonio Machado)

Maria Jose Alfonso Seoane, Trinidad Barrera Lopez, Jose Maria Capote Benot, Rafael de Cozar Sievert, Begoña Lopez Bueno, Francisco Lopez Estrada, Carmen de Mora Valcarcel, Rogelio Reyes Cano, Maria de las Mercedes de los Reyes Peña, Antonio Rodriguez Almodovar y Jose Luis Tejada

cc

INDICE

PRÓLOGO

Tal como anuncié en el prólogo del libro Doce comentarios a la poesía de Manuel Machado, *publicado por esta misma Editorial universitaria (Sevilla, 1975), este otro volumen dedicado a Antonio Machado completa el Homenaje que el Departamento de Literatura Española ha querido rendir a la memoria de los dos escritores que en 1974 y 1975 ha hecho cien años que habían nacido en esta ciudad de Sevilla.*

El homenaje a Antonio ha resultado más difícil de realizar que el de Manuel; la bibliografía que rodea la obra de Antonio es numerosa, a veces infranqueable. Por fortuna, la poesía siempre está ahí, y se la puede encontrar en la desnuda palabra poética que es vía de comunicación inmediata y accesible para todos. Por eso el mejor homenaje a un poeta es que se le lea, que todos, cada vez más, lo lean y se encuentren con la obra. El poeta escribe su yo en busca del tú, *que es el lector, como dice Antonio:*

> No es el yo fundamental
> eso que busca el poeta,
> sino el tú esencial.

(«Proverbios y Cantares», CLXI, n.º xxxvi)

11

El propósito de la poesía es que se ilumine la conciencia de cada hombre en lo que es esencial: se trata de la convergencia de estas complejas indicaciones que se nombran amor, verdad, belleza, prójimo, España, Dios (y otros muchos nombres), y que se descubren precisamente por la palabra poética. Pero, al mismo tiempo, el poeta está descubriéndose a sí mismo en ese tú del otro hombre, y por eso canta otra vez en una aparente contradicción:

> Con el tú de mi canción
> no te aludo, compañero,
> ese tú soy yo.

(Idem, n.º 1)

Difícil relación entre el yo y el tú, eludiéndose y buscándose a un tiempo a través de la comunicación poética. De autor a lector hay así una vía transitada que va del primero al segundo, para así encontrar en el segundo lo que el primero comporta. Antonio Machado fue poeta que cuidó de que este tránsito fuera animado y vivo; de uno a otro y de otro a uno la palabra poética había de resultar fundamentalmente humana. El suyo fue un humanismo de cordial entendimiento, como escribió por él su complementario Juan de Mairena: «El que no habla a un hombre, no habla al hombre; el que no habla al hombre, no habla a nadie» (Juan de Mairena, 1936, sentencia del capítulo XLIX). De ahí que la suya hubiera de ser una poesía sencilla (al menos, en apariencia), pero siempre resonante en el yo y en el tú (y si no aparecía el tú, se lo inventaba para poder decir incluso la contradicción). Y, al mismo tiempo, esta poesía estaba hecha para que pudiera ser estudiada desde perspectivas distintas. Por eso Antonio recomendaba a los poetas esto que es tan difícil de lograr:

> Da doble luz a tu verso,
> para leído de frente
> y al sesgo.

(Idem, n.º lxxi)

Y en este punto entra nuestro cometido: el de los comentarios que muestran la poesía en las diferentes perspectivas, de frente y al sesgo. Con estas notas que rodean la palabra poética de Antonio, no queremos sofocar la poesía con un alarde de erudición y de crítica, sino ayudar a que los lectores que más cerca tenemos de nosotros, los jóvenes universitarios —y cuantos gusten de estas aventuras— lleguen lo más lejos posible en el entendimiento del poema; la experiencia de la historia y teoría literarias, la crítica y la erudición se concentran en el estudio de cada poesía y la prolongan en su ámbito significativo. Esto es lo que ofrecemos rodeando la piedra preciosa de cada poesía; nuestra labor es de cercarla con el aderezo del comentario. Más que nada estos comentarios quieren comunicar profesionalmente una experiencia en la que va integrada la percepción de la poesía y las resonancias que esta ha creado en cada uno como críticos que somos por la índole de nuestro trabajo. Si fuésemos lectores, sin más, bastaría con quedarnos con la conmoción de la poesía leída, pero por obligación profesional hemos de convertirla en materia de exposición pedagógica, añadiéndole una explicación del contexto adecuado a cada caso. Comunicamos, pues, una experiencia, que es una manera de aconsejar en cuanto a los medios y modos de percepción poética. Sólo que los consejos en esto pueden resultar inútiles, y Antonio quiso decirlo así, sentenciosamente:

> Doy consejo, a fuer de viejo:
> nunca sigas mi consejo.
>
> (Idem, n.º xciv)

Esto, aplicado a nuestro caso, vale como decir: lee por tu cuenta la poesía y ten en poco los comentarios. Pero, cuidado, que el propio poeta añade:

> Pero tampoco es razón
> desdeñar
> consejo que es confesión.
>
> (Idem, n.º xcv)

13

Confesión en este caso es pasmarse ante esta lírica tan íntima (término grato a Antonio), que quiere expresar de algún modo —¿cuál?, nos preguntamos— la conmoción del mundo en el corazón del poeta. Los profesores que hemos colaborado en la formación de este volumen así lo declaramos, conscientes de que sólo hemos tocado unos pocos aspectos de la variada obra de Antonio Machado, en los límites que nos ha sido posible alcanzar.

Los diferentes comentarios que se reúnen en este libro han sido ordenados de manera que la sucesión tuviera un cierto sentido en relación con la obra de Antonio Machado. Se han numerado los versos de las poesías objeto de cada comentario, y las citas que se hacen parcialmente a las mismas van referidas a esta numeración, bien situando al margen inicial de los versos esta cifra, si éstos se citan completos, o entre paréntesis, después de las citas parciales.

Francisco LÓPEZ ESTRADA

Departamento de Literatura Española
Facultad de Filosofía y Letras
Sevilla, setiembre de 1975.

NOTAS EN TORNO AL POEMA
"EN EL ENTIERRO DE UN AMIGO"
DE ANTONIO MACHADO

por

José María Capote Benot

El poema que comento fue publicado por primera vez en la revista «Renacimiento», el 1 de marzo de 1907, sin estrofas, y en ese mismo año, incluido en *Soledades, Galerías y otros poemas,* con divisiones estróficas. Para el presente estudio me baso en la edición que de dicho libro hace Geoffrey Ribbans[1].

«En el entierro de un amigo» es el título del poema elegido para el comentario, y es el cuarto del libro antes mencionado.

IV

"EN EL ENTIERRO DE UN AMIGO"

Tierra le dieron una tarde horrible
del mes de julio, bajo el sol de fuego.

A un paso de la abierta sepultura,
había rosas de podridos pétalos,
5   entre geranios de áspera fragancia
y roja flor. El cielo

---

1. Antonio Machado, *Soledades, Galerías. Otros poemas,* edición de Geoffrey Ribbans, Barcelona, Editorial Labor, 1975. Todos los ejemplos que cito del libro mencionado, proceden de esta edición. Las siglas S G O P indican dicho libro.

puro y azul. Corría
un aire fuerte y seco.

De los gruesos cordeles suspendido,
10 pesadamente, descender hicieron
el ataúd al fondo de la fosa
los dos sepultureros...

Y al reposar sonó con recio golpe,
solemne, en el silencio.

15 Un golpe de ataúd en tierra es algo
perfectamente serio.

Sobre la negra caja se rompían
los pesados terrones polvorientos...

El aire se llevaba
20 de la honda fosa el blanquecino aliento.

—Y tú, sin sombra ya, duerme y reposa,
larga paz a tus huesos...

Definitivamente,
duerme un sueño tranquilo y verdadero.

La descripción del entierro de un amigo del autor,
en una tarde calurosa de verano, y el deseo de la
eterna paz de la muerte es el contenido del poema.

Se trata de una silva-romance compuesta por nue-
ve heptasílabos y quince endecasílabos, con rima asonante en e-o.

Desde el principio, el autor se ciñe al tema de
la muerte. La tierra que recibe el cuerpo del amigo
nos da una profunda sensación de lo mortal e inani-

mado. Parece que la tierra es el primer elemento que impresiona la sensibilidad del autor. Inmediatamente después, y con brevísimos matices, describe el ambiente exterior:

1   Tierra le dieron una tarde horrible
2   del mes de julio, bajo el sol de fuego.

La tarde en la poesía de Antonio Machado es un tema de primordial significación. Son muchas las composiciones en las que el autor dialoga con el atardecer o sitúa en ese momento del día sus vivencias. Casi todas las tardes son melancólicas, tristes y lentas. Tardes de todas las estaciones del año, pero que para el autor, casi todas, están reducidas y potenciadas a valor de *símbolo*: la tarde como muerte, como signo de lo letal.

No es lugar aquí para mostrar todos los ejemplos que del tema hay en la obra poética de Antonio Machado. Tan sólo citaré algunos con rasgos simliares al poema comentado.

«En el entierro de un amigo» es el primer poema en que el autor nos presenta un atardecer de estío con las características que aquí nos interesan: tarde *horrible*, y bajo un sol aplastante. En ella el poeta no trata de darnos una sensación vitalista o de sensualidad estimulante, sino todo lo contrario, va acompañada del epíteto *horrible,* y el sol es de *fuego*. El color rojo del sol y el intenso calor hacen que el ambiente se confunda con la muerte, que incluso sintamos la podredumbre de ese cuerpo que va a ser cubierto por la tierra. La tarde *horrible* es la misma muerte, es el símbolo de ella. Veamos algunos ejemplos:

Fue una clara tarde, triste y soñolienta
tarde de verano. La hiedra asomaba

19

al muro del parque, negra y polvorienta...
La fuente sonaba

(S G O P, VI, pág. 72)

Y en otro:

En una huerta sombría,
giraban los cangilones de la noria soñolienta.
Bajo las ramas obscuras el son del agua se oía.
Era una tarde de julio, luminosa y polvorienta.

(S G O P, XIII, pág. 84)

O también:

El sueño bajo el sol que aturde y ciega,
tórrido sueño en la hora de arrebol;
el río luminoso el aire surca;
esplende la montaña;
la tarde es polvo y sol.

(S G O P, XLV, pág. 136)

Todas estas tardes estivales son tristes, lentas y llenas de hastío. El calor es asfixiante, la luminosidad cegadora y la atmósfera polvorienta. El agua de una fuente, o el soñoliento sonido de una noria ponen su nota de infinita monotonía. Como he dicho antes, el verano para Machado no es una época de exaltación o vitalidad, más bien es, en la mayoría de las veces, motivo de agobiante tristeza.

Al principio de este estudio he considerado que el poema que nos ocupa es la *descripción* del entierro de un amigo del poeta. En esta consideración me baso en José María Valverde que dice lo siguiente refiriéndose a *Soledades, galerías y otros poemas*: «Podemos destacar dos líneas, parcialmente coincidentes por trazarse según criterios heterogéneos, a saber: una línea de sobria descripción visual, con valores casi propios de un escritor narrativo; y otra línea, en versos octosílabos, preferentemente consonantes como en el teatro del Siglo de Oro, o mejor, como en Jorge Manrique, de lenguaje claro y popular, sobre reflexiones irónicas. Son ejemplos de la primera línea «El viajero», «En el entierro de un amigo», «Orillas del Duero» (que escribió Antonio Machado, por cierto, en su primera visita a Soria en mayo de 1907), «A un viejo y distinguido señor»... Esta línea será luego enriquecida, aunque quizá no mejorada, en la primera edición de *Campos de Castilla* (1912)» [2]. El poeta se limita a describir con gran economía de medios el acto del enterramiento y algunos detalles del atardecer y el cementerio, fundamentales para una ambientación precisa. Se apartan de esta técnica descriptiva-visual dos pasajes: una consideración del poeta ante lo que está presenciando, contenida en los versos 15-16; y el deseo de descanso y paz para su amigo, expresado en los versos 21-24. En ambos pasajes insistiremos más adelante.

El poema continúa así:

3 A un paso de la abierta sepultura.
4 había rosas de podridos pétalos,
5 entre geranios de áspera fragancia
6 y roja flor. El cielo
7 puro y azul. Corría
8 un aire fuerte y seco.

La fosa está abierta como una atroz oquedad, pero a muy poca distancia de ella hay algunas flores: rosas y geranios. Claudio Guillén, refiriéndose a las rosas en Machado, dice: «La rosa machadiana va unida a la conciencia de la muerte ajena en su momento de mayor esplendor» [3]. Sin embargo, en nuestro poe-

2. José María Valverde, *Antonio Machado*, Madrid, Siglo veintiuno de España editores, 1975, pág. 69.
3. Claudio Guillén, «Estilística del silencio», en *Antonio Machado*,

ma, la rosa no tiene ese significado. Para Claudio Guillén dicha flor simboliza la temprana muerte de Leonor, esposa del poeta, pero las rosas de «En el entierro de un amigo» van acompañadas de un epíteto que las hace distintas, éstas tienen *podridos* los pétalos, lo que aún intensifica más la idea de muerte y descomposición. Al mismo tiempo, el calificativo de podrido, refiriéndose a los pétalos, y la *áspera fragancia* de los geranios dan a los versos cierto aire modernista, influjo importante en este primer libro del autor. Los geranios son flores muy populares en Andalucía, y con su humilde presencia en el poema, Machado nos evoca un cementerio andaluz, quizá de un pueblo.

La pureza y el color azul del cielo contrastan con la patética escena del entierro. El aire *fuerte* y *seco* potencia aún más esa tarde *horrible* descrita en los dos primeros versos.

El poeta se concentra ahora en el hecho mismo del enterramiento:

9   De los gruesos cordeles suspendido,
10   pesadamente, descender hicieron
11   el ataúd al fondo de la fosa
12   los dos sepultureros...

El hipérbaton llena de serenidad clásica a los versos citados. El ritmo es grave y pausado en virtud de los tres endecasílabos primeros (melódico, sáfico y a la francesa, respectivamente). El verso 12, heptasílabo trocaico, remata el ritmo antes expresado, dando un momentáneo corte.

Creo que la palabra clave de esta estrofa es *pesadamente*. El ataúd pesa porque dentro guarda un cuerpo muerto, sin la agilidad y soltura de la vida. El autor se fija en este aspecto y con una sola palabra le basta para comunicarnos esa intención.

edición de Ricardo Gullón y Allen W. Phillips, Madrid, Taurus, 1973, pág. 464.

La caja sigue descendiendo hasta el fondo:

13   Y al reposar sonó con recio golpe,
14   solemne, en el silencio.

Ese golpe final con el que resuena el ataúd al quedar definitivamente en tierra hace continuar la impresión de la estrofa anterior. El golpe es *recio* y *solemne*. La sensación acústica es aún mayor, al resonar en el denso y mortal silencio en que está sumida la escena.

Antes se dijo que el poema se desarrolla con una técnica descriptiva-visual, pero que, sin embargo, había dos pasajes en la composición que se separaban de este procedimiento. El primero es el que indico a continuación:

15   Un golpe de ataúd en tierra es algo
16   perfectamente serio.

La escena antes descrita culmina aquí con esta consideración íntima del poeta. Parece como una connotación sicológica que se aparta de la mera descripción. La frase está matizada con un cierto humor amargo. El usar las expresiones *algo* y *perfectamente serio,* que tienen un tono casi vulgar, para indicar el golpe de la caja, le da a la frase ese leve matiz de amarga ironía.

El brusco encabalgamiento hace que también los versos tengan una resonancia cortante, casi lapidaria.

Geoffrey Ribbans, en el prólogo a su edición de *Soledades, galerías y otros poemas,* ve la afinidad temática que existe entre el poema que comentamos y «Daba el reloj las doce» del mismo libro. Dice el crítico al respecto: «Al poemita del presentimiento personal de la muerte, «Daba el reloj las doce» de *Soledades,* corresponde, pues, otra composición, «En el entierro de un amigo» (IV), en la que la muerte

23

pasa a ser el problema de todos los que viven»[4]. En efecto, el golpe de ataúd en la fosa nos recuerda a los doce golpes de la azada en tierra. En nuestro poema la conciencia de la muerte es colectiva. En el otro, las campanadas del reloj son para el poeta los golpes de la azada que cavan su tumba, es decir, su propia muerte.

La descripción se ha roto con esta sutil apreciación interna del autor, pero él insiste en su visión y nos lleva otra vez a ella:

17   Sobre la negra caja se rompían
18   los pesados terrones polvorientos...
19   El aire se llevaba
20   de la honda fosa el blanquecino aliento.

Los sepultureros han puesto la caja en el fondo del enterramiento. La tierra que cubre al cuerpo del amigo es como una infranqueable muralla entre la vida y la muerte. Tan sólo queda esa negra oquedad que exhala un polvo blanquecino, presagio de en lo que se convertirá, lo que antes fue vida.

El segundo pasaje en el que se rompe la técnica descriptiva-visual está contenido en los cuatro últimos versos:

21   —Y tú, sin sombra ya, duerme y reposa,
22   larga paz a tus huesos...
23   Definitivamente,
23   duerme un sueño tranquilo y verdadero.

Se trata del adiós definitivo para el amigo. Sin embargo, no encontramos en estos versos eco de un sentimiento de vida trascedente. El autor sólo hace mención de la materia: el cuerpo sin sombra, los huesos, así como también la paz, pero sin especificar

4. Antonio Machado, *Soledades. Galerías. Otros poemas*, edición citada de Geoffrey Ribbans, pág. 35.

de qué tipo. Únicamente el verso final, y, sobre todo, el adjetivo *verdadero,* nos da una cierta esperanza. No es éste el lugar para tratar sobre las creencias que Machado tenía sobre este particular. Por eso es preferible dejar oir su propia voz:

MAIRENA A MARTÍN, MUERTO

Maestro, en tu lecho yaces,
en paz con Ella o con Él...
(¿Quién sabe de últimas paces,
don Abel?)
Si con Ella, bien colmada
la medida,
dice, quieta, en la almohada
tu noble cabeza hundida.
Si con Él, que todo sea
—donde sea— quieto y vivo,
el ojo en superlativo,
que mire, admire y se vea [5].

El color en el poema tiene también una función importante. El tono rojo intenso de un sol de fuego que aplasta la tarde de verano, los geranios rojos, el tenue color de las rosas marchitas y el azul puro del cielo hacen que la tarde parezca luminosa y triunfante. Sin embargo, no es así. La tarde, aunque de esta forma descrita, tiene para el poeta, como ya hemos visto, un sentido agónico y letal. No es sólo *horrible* por la muerte del amigo, casi podríamos asegurar que la tarde seguiría siendo así para Machado sin esa circunstancia.

Los colores claros contrastan con los oscuros de la fosa, la caja y el tono grisáceo del polvo. El cromatismo no es muy intenso. Es el justo para darnos la precisa impresión de todo el ambiente.

---

5. Antonio Machado, *Obras. Poesía y Prosa,* Buenos Aires, Losada, 1964, pág. 313.

El poema es la evocación de una amistad a través de la descripción de un enterramiento. Por eso la mayoría de los verbos están en pasado. Sin embargo, el título nos indica un aspecto fundamental de la poesía de Machado: «En el entierro de un amigo». La preposición *en* presupone un *estar dentro,* una descripción *directa* y no evocadora de los hechos. Es muy frecuente en el autor el empleo de un recurso técnico que Carlos Bousoño ha denominado «superposición temporal» [6]. Por este procedimiento, como dice Ramón de Zubiría: «...se expresa un vivir en dos tiempos (el pasado en el presente y el presente en el pasado), y secrea una intemporabilidad a través de lo temporal, un tercer tiempo, el del poema, que domina a los otros dos» [7].

La superposición temporal está patente en el poema. El pasado se evoca contraponiéndose con ese estar *dentro* y *presente,* que expresa el título, creando así una intemporalidad o «pasado apócrifo», como el mismo autor lo denominó, que vive en el tiempo de forma cualitativa por ser un tiempo existencial.

Opino que el poema es un exponente claro de la poética machadiana. Él mismo definió a la poesía como «el diálogo del hombre, de un hombre con su tiempo».

6. Carlos Bousoño, *Teoría de la expresión poética*, Madrid, Gredos, 1962, págs. 173-176.
7. Ramón de Zubiría, *La poesía de Antonio Machado*, Madrid, Gredos, 1973, pág. 41.

COMENTARIO AL POEMA VI "FUE UNA CLARA TARDE, TRISTE Y SOÑOLIENTA"

por

María José Alonso Seoane

1. *Fijación del texto.*

El poema elegido es uno de los primeros de Antonio Machado publicados en libro; y permanece a través de sucesivas ediciones. Es el primer poema, titulado *Tarde,* de *Soledades* (1903)[1]. En 1907 figura ya, sin título, con el número VI en la edición de *Soledades. Galerías. Otros poemas.* Aparece también con este número, sin variantes, en el último texto de *Poesías Completas* que se editó en vida del autor (1936)[2].

Este poema inicial de *Soledades* es de los pocos que salva Antonio Machado de la primera sección del libro, que casi desaparece[3] en la edición de *Soledades. Galerías. Otros poemas.* Esta primera sección, con poemas todavía inmaduros que luego suprime, tenía un título significativo acerca del carácter de los poemas contenidos: *Desolaciones y monotonías.*

Por la fecha de la composición, el poema que comentamos pertenece a un momento de modernismo pleno, reflejado en aspectos temáticos, métricos y estilísticos que se perciben incluso en una primera lectura.

1. *Soledades* se publicó a últimos de 1902 con fecha de 1903.
2. 4.ª edición, Espasa-Calpe, 1936.
3. De los diez poemas de esta sección quedan los titulados *Tarde, Los cantos de los niños, Noche* y *Horizonte,* que tienen en *Poesías Completas* los números VI, VIII, XVI y XVII respectivamente. Cfr. el estudio de Dámaso ALONSO sobre este tema en *Poetas españoles contemporáneos,* Madrid, Gredos, 1969, págs. 97-149.

Veamos el texto del poema:

VI

Fue una clara tarde, triste y soñolienta
tarde de verano. La hiedra asomaba *showrup*
al muro del parque, negra y polvorienta...
La fuente sonaba

5 Rechinó en la vieja cancela mi llave;
con agrio ruido abrióse la puerta
de hierro mohoso y, al cerrarse, grave
golpeó el silencio de la tarde muerta.

En el solitario parque, la sonora
10 copla borbollante del agua cantora
me guió a la fuente. La fuente vertía
sobre el blanco mármol su monotonía.

La fuente cantaba: ¿Te recuerda, hermano
un sueño lejano mi canto presente?
15 Fue una tarde lenta del lento verano.

Respondí a la fuente:
No recuerdo, hermana,
mas sé que tu copla presente es lejana.

Fue esta misma tarde: mi cristal vertía
20 como hoy sobre el mármol su monotonía.

¿Recuerdas, hermano?... Los mirtos talares
que ves, sombreaban los claros cantares
que escuchas. Del rubio color de la llama,
el fruto maduro pendía en la rama,

25 lo mismo que ahora. ¿Recuerdas, hermano?...
    Fue esta misma tarde de verano.

    —No sé qué me dice tu copla riente
    de ensueños lejanos, hermana la fuente.

    Yo sé que tu claro cristal de alegría
30 ya supo del árbol la fruta bermeja;
    yo sé que es lejana la amargura mía
    que sueña en la tarde de verano vieja.

    Yo sé que tus bellos espejos cantores
    copiaron antiguos delirios de amores:
35 mas cuéntame, fuente de lengua encantada,
    cuéntame mi alegre leyenda olvidada.

    —Yo no sé leyendas de antigua alegría
    sino historias viejas de melancolía.

    Fue una clara tarde del lento verano...
40 Tú venías solo con tu pena, hermano;
    tus labios besaron mi linfa serena,
    y en la clara tarde, dijeron tu pena.

    Dijeron tu pena tus labios que ardían;
    la sed que ahora tienen, entonces tenían.

45 —Adiós para siempre, la fuente sonora,
    del parque dormido eterna cantora.
    Adiós para siempre, tu monotonía,
    fuente, es más amarga que la pena mía.

    Rechinó en la vieja cancela mi llave;
50 con agrio ruido abrióse la puerta

de hierro mohoso y, al cerrarse, grave
sonó en el silencio de la tarde muerta. [4]

El texto presenta una organización sencilla. Fue
una tarde de verano cuando el poeta entró en el solitario parque viejo (v. 1-12). Al llegar a la fuente, se
entabla un diálogo entre los dos; hablan de un tiempo lejano que se confunde con el presente, de una
tarde ya pasada que es esta misma de hoy como es
igual la anterior amargura del poeta. Terminado el
diálogo que ocupa casi todo el poema (v. 13-48), el
poeta se aleja, al parecer definitivamente, del parque
(v. 48-52).

2. *Análisis del poema.*

Comienza el poema con la evocación de un lugar
especial, un recinto cerrado e inmóvil que se presenta
lleno de atractivo para el poeta. Con la hiedra aso-
mando al muro y sonando la fuente, pronto identificamos el lugar con «el parque viejo» característico
del modernismo como uno de sus temas preferidos[5].
Por esos mismos años, escritores cercanos a Antonio
Machado por amistad y afinidades literarias, cada uno
con matices propios, evocan parques melancólicos,
solitarios, con la belleza desvaída de lo que se pro-
yectó para ser alegre en un tiempo lejano al actual.
La razón de esta preferencia temática se encuentra en las afinidades que el alma modernista reconoce
entre su estado de ánimo y la sensación que le produce el parque abandonado. Los elementos externos
de estos jardines son casi siempre los mismos: árbo-

4. Cito por la edición de *Soledades. Galerías. Otros poemas*, de
Geoffrey RIBBANS, Barcelona, Textos hispánicos modernos, ed. Labor, 1975. Haré con referencia a esta edición todas las citas de
poemas incluidos en este libro. Para la cuestión de variantes véase
esta edición de RIBBANS y el estudio de Dámaso ALONSO en *Poetas
españoles contemporáneos*, obra citada, pág. 141.
5. Cfr. Ricardo GULLÓN, *Direcciones del modernismo*, Madrid,
Gredos, 1971, pág. 52.

les, agua en la fuente de piedra, silencio, soledad. En todos es igual la angustia difusa, tristeza, hastío.

Estos poetas escriben por los años iniciales del siglo y por lo general, dentro del modernismo, están en la línea de lo tenue y melancólico, más cerca de Verlaine que de Rubén Darío[6]. Por eso es frecuente el tono de vaguedad y autoanálisis como el que aparece en *Rimas de sombra* (1900-1902), de Juan Ramón Jiménez:

> ...Está desierto el jardín.
> Las avenidas se alargan
> entre la incierta penumbra
> de la arboleda lejana[7].

Notamos aún más la cercanía al poema de Machado al leer los primeros versos de *Parque viejo,* título también significativo por evidencia:

> Me he asomado por la verja
> del viejo parque desierto:
> todo parece sumido
> en un nostálgico sueño[8].

También encontramos ejemplos en la prosa modernista de *Sonata de Otoño* de Valle-Inclán. El jardín de Brandeso tiene los mismos elementos que el parque machadiano[9]: cipreses oscuros, mirtos y hiedra, vejez, fuente y el mismo ambiente melancólico:

---

6. Sin embargo, algunos versos de Rubén Darío tratan este tema tangencialmente en un libro decisivo, *Azul*: *En la tranquila noche, mis nostalgias amargas sufría / En busca de quietud bajé al fresco y callado jardín* (Madrid, Espasa-Calpe, 1972, pág. 146).
7. *Nocturno, Antología poética*, Buenos Aires, Losada, 1944, pág. 19.
8. Id., ib., pág. 17.
9. «Yo recordaba nebulosamente aquel antiguo jardín donde los mirtos seculares dibujaban los cuatro escudos del fundador, en torno de una fuente abandonada. El jardín y el Palacio tenían esa vejez señorial y melancólica de los lugares por donde en otro tiempo pasó la vida amable de la galantería y del amor» (Ramón del Valle-Inclán, *Sonata de otoño*, Obras Completas, Madrid, Rúa Nueva, 1944, pág. 341).

«Las flores empezaban a marchitarse en las versallescas canastillas recamadas de mirto, y exhalaban ese aroma indeciso que tiene la melancolía de los recuerdos. En el fondo del laberinto murmuraba la fuente rodeada de cipreses, y el arrullo del agua, parecía difundir por el jardín un sueño pacífico de vejez, de recogimiento y de abandono» [10].

Su hermano Manuel, con sensibilidad aún más parecida, toca el tema en un poema fechado en 1901,

El jardín gris:

    ¡Jardín sin jardinero!
¡Viejo jardín,
                    viejo jardín sin alma,
jardín muerto! Tus árboles
no agita el viento. En el estanque, el agua
yace podrida. ¡Ni una onda! El pájaro
no se posa en tus ramas.
La verdinegra sombra
de tus hiedras contrasta
con la triste blancura
de tus veredas áridas...

    ¡Jardín, jardín ¿Qué tienes?
Tu soledad es tanta,
que no deja poesía a tu tristeza!
¡Llegando a ti, se muere la mirada!
Cementerio sin tumbas...
Ni una voz, ni recuerdos, ni esperanza.
¡Jardín sin jardinero!
¡Viejo jardín,
                    viejo jardín sin alma! [11]

10. Id., ib., pág. 342.
11. *Alma. Museo. Los cantares*, en Manuel y Antonio MACHADO, Obras Completas, Madrid, Plenitud, 1962, pág. 5. El poema se publicó por primera vez en el primer número de «Electra», Madrid, 16 de marzo de 1901.

No están aquí todos los ejemplos posibles, porque pienso que éstos bastan para encuadrar el poema de Machado. El poeta, que en otras épocas de su vida permanece relativamente ajeno al cambio literario, aparece en *Soledades* con voz propia, personal, pero pudiéndosele ver dentro de un grupo. Es quizá la etapa de su vida en que más identificado está con el momento artístico.

Antonio Machado acudirá al parque viejo con cierta frecuencia en *Soledades. Galerías. Otros poemas,* un libro cargado de ensueños y vaguedades, muy al compás de los jardines evocados, polvorientos, viejos, con todos los signos del abandono:

> Rechinó en la vieja cancela mi llave;   5
> con agrio ruido abrióse la puerta
> de hierro mohoso.

La soledad se evidencia en el silencio, y éste a causa de la nitidez con que se percibe cada ruido

> al cerrarse, grave   7
> golpeó en el silencio de la tarde muerta.

La fuerza de la evocación está basada en el concreto tratamiento de las sensaciones visuales y auditivas [12]. La impresión de melancolía se transmite a través de los sentidos, que se unen para decir lo mismo:

vista		vejez		
	$\longrightarrow$		$\rightarrow$	muerte
oído		soledad (abandono)		

Los colores son netos, expresivos: yedra negra

---

12. La valoración de las sensaciones es uno de los rasgos modernistas del poema, como lo son la métrica y el léxico empleado (*linfa, mirtos talares, antiguos delirios de amores,* etc.) entre otros.

(quizá gris de polvo), blanco mármol. En el naranjo, la fruta bermeja.

En el ámbito silencioso del parque canta la fuente con su agua viva, bullente, *borbollante*. Ruido gozoso que también se vuelve melancólico por su monotonía, por su cantar constante y siempre igual. Es la *eterna cantora* y la alegría de su *copla riente* se ve desmentida por ese insistir perpetuo que se hace angustioso.

El poeta encuentra que el parque es buen recipiente para su alma. Un parque simbólico, que sólo es relativamente real (ya hemos visto jardines parecidos de otros poetas). Sin embargo, vemos notas muy personales en la descripción de este parque machadiano, como son la presencia del naranjo junto a la fuente y la elección de la hora y estación del año.

> Fue una clara tarde, triste y soñolienta   1
> tarde de verano.

En Machado, la tarde trae connotaciones amenazadoras; es el tiempo parado, mudo, angustioso. El verano, la estación terrible. Las tardes de verano alcanzan el sentido contrario al que debieran tener por su claridad, indicio de vida y alegría. En éste, como en otros poemas [13], la tarde es penosa, lenta, portadora de hastío; contribuye con su peso a hundir el ánimo del poeta, como aquella del entierro del amigo:

> Tierra le dieron una tarde horrible   1
> del mes de julio, bajo el sol de fuego [14].

El marco está ya casi preparado.. Desde el exterior, el poeta escucha la voz del agua que llama y le guía con su sonido. A medida que se adentra en el

---

13. Por ejemplo en XLVI, XLIX y XVII.
14. Versos iniciales del poema IV, ed. cit., pág. 68.

parque, el poeta va distanciándose de lo común modernista y centrándose cada vez más en el tono propio.

Comienza un diálogo deliberadamente confuso. El poeta sin recuerdos, triste como la tarde, expone su situación a través de un artificio: la creación de un interlocutor imaginario que objetiva su habitual conversar consigo mismo. Desde su posición inmutable, el agua de la fuente, *eterna cantora,* fría, intemporal, precisa los límites de la vaga angustia del poeta. La fuente incita al poeta a que penetre en interior, guiado por ella:

La fuente cantaba: ¿Te recuerda, hermano,   13
un sueño lejano mi canto presente?

El poeta acepta la insinuación y tiene lugar el diálogo, en frases breves por lo general, que ocupa prácticamente todo el resto del poema [15].

FUENTE   POETA

1. *Situación enfrentada*:

— Claridad. Conciencia.   — Ensueño propicio a
                               la ilusión.
                               (engaño)

— Saber exacto de las   — No sabe: conocimien-
   cosas   tos inconexos.

⎡ la amargura es   ⎧ presente
⎢   ⎩ lejana
⎢
⎣ el pasado fue alegre

---

15. La fuente es uno de los motivos preferidos de Antonio MACHADO, y se le ha dado diferentes interpretaciones. Cfr. Ramón de ZUBIRÍA, *La poesía de Antonio Machado,* Madrid, Gredos, 1969, págs. 36-43, y J. M. AGUIRRE, *Antonio Machado, poeta simbolista,* Madrid, Taurus, 1973, pág. 334.

2. *Planteamiento y respuesta*:

— Pide ayuda para bus-
car en el pasado la ex-
plicación del presente.

— No hay explicación:

⌈ el presente es el mismo
                   pasado
⌊ no hubo alegría; la
  amargura es la misma
  que fue.

La respuesta de la fuente es exacta y cruel. A la
relativa ilusión del poeta (*leyendas de antigua alegría*) opone la realidad: *historias viejas*. El tiempo
finge pasar solamente; nunca hubo otro momento más
favorable al poeta:

Dijeron tu pena tus labios que ardían;   43
la sed que ahora tienen, entonces tenían.

La fuente, tan alegre en apariencia (cristal, espejo,
cantora de coplas rientes), se transforma para el poeta en la objetivación de su angustia. En el poema,
lo importante es la angustia, no el tiempo; pero éste
es decisivo puesto que la tristeza se acrecienta cuando falla la esperanza de cambio.

Mientras la fuente permanece, invariable también
en lo espacial, el poeta se aleja del parque. Se le
hace insoportable la fuente incapaz de saciar su sed.
Está muerta y engaña con careta de vida: para el
poeta ha sido un muro y no un espejo en el que
mirarse y conocerse.

Se cierra el movimiento circular del poema. Al
irse, repite sus actos: la cancela, la llave, el ruido
agrio. Probablemente ésta no ha sido más que una
de las veces en que el poeta ha enfrentado su angus-

tia a su otro yo consciente, sin aceptar la respuesta
desolada:

> En el ambiente de la tarde flota   15
> ese aroma de ausencia,
> que dice alma luminosa: nunca,
> y al corazón: espera [16].

3. *El poema en el contexto de* Soledades. Galerías.
    Otros poemas.

El poema que estamos comentando, todavía tem-
prano en algunos aspectos, lleva implícitos temas que
después tendrán desarrollo más claro en otros textos
de *Soledades. Galerías. Otros poemas.* El motivo, con
sus distintos elementos (el parque viejo como recipiente formal de tiempo, angustia, etc.), es constante
en Antonio Machado hasta 1907; se mantiene a lo
largo de unos diez años, con distintos matices. Por
esto creo que el análisis del poema elegido debe com-
pletarse a la vista de otros cercanos en todos los
sentidos [17].

En concreto el tema se establece en dos direcciones fundamentales: de la idea del tiempo a la
muerte, y la cuestión de la angustia.

Algunos poemas se limitan a un tratamiento descriptivo del asunto; sin embargo, la evocación del
parque solitario se hace a veces símbolo de una de
las consecuencias en que desemboca el tema: la de-
solación y la muerte:

XXXII

Las ascuas de un crepúsculo morado   1

---

16. Poema VII, ed. cit., pág. 75.
17. Tocan directamente el tema los poemas XXIV, XXXII, LI,
LV, LVI, XC, XCI, XCIV y CLII; aspectos parciales en I, III,
IV, V, VII, XIII, XVII, XIX, XXVIII, XXIX, XLVI, LXII, LXVI,
LXVII, LXVIII, LXXXI; sin contar los poemas de *Soledades* no
incluidos en posteriores ediciones.

detrás del negro cipresal humean...
En la glorieta en sombra está la fuente
con su alado y desnudo Amor de piedra,
que sueña mudo. En la marmórea taza   5
reposa el agua muerta [18].

El hastío y el paso del tiempo, siempre igual, indetenible, se reflejan en el reloj del poema LV:

                 (el tic-tac acompasado   6
                 odiosamente golpea.)

y en el agua de la fuente:

                 Dice la monotonía   9
                 del agua clara al caer:
                 un día es como otro día;
                 hoy es lo mismo que ayer.

La mezlca de angustia y tiempo no lleva más que a la muerte:

                 Y yo sentí el estupor   17
                 del alma cuando bosteza
                 el corazón, la cabeza,
                 y... morirse es lo mejor [19].

El poema XCIV expresa la misma idea a través de la imagen de la plaza en sueños, descrita con repetidas notas macabras (cipreses de ramajes yertos, ecos mortecinos del sol, confusas calaveras). En medio de la escenografía fúnebre, se oye la vida extraña del chorro de la fuente:

La calma es infinita en la desierta plaza,   9
donde pasea el alma su traza de alma en pena.

18. Ed. cit., pág. 111. Cfr. la interpretación de Carlos BOUSOÑO, *Teoría de la expresión poética*, Madrid, Gredos, 1966, págs. 145-150.
19. LV y LVI, ed. cit., págs. 156 y 157.

El agua brota y brota en la marmórea taza.
En todo el aire en sombra no más que el agua
suena [20]

Antonio Machado trata con claridad el tema de
la angustia (amargura, pena) en el poema comentado
(VI). Es la sed nunca saciada que acompañará de
modo permanente al poeta:

Yo caminaba cansado   25
sintiendo la vieja angustia que hace al corazón
pesado [21].

Pero el poema VI no explica la causa de esa angustia acrecentada por su persistencia. En otro poema
(LXXVII), el autoanálisis es más detenido y el poeta
saca conclusiones: se obliga a reconocer que sabe el
motivo de esa angustia que no procede de algo más
o menos externo, sino que tiene sus raíces en el centro del alma. Y la causa es la añoranza del alma segura, el dolor de tener el corazón desorientado, semejante a un *barco sin naufragio y sin estrella* [22].

En definitiva, el poeta siente nostalgia de la paz
que proviene de saber uno quién es y para qué existe; de conocer aquello que trae ecos de Rubén Darío:

Y no saber adónde vamos
ni de dónde venimos.

Ya sin los intermediarios de la fuente y el parque, el poeta se describe perdido, con alma destartalada como la tarde, sin haberse encontrado con
quien lo explica todo y arranca toda angustia:

así voy yo, borracho melancólico,   21
guitarrista lunático, poeta,

---

20. Ed. cit., pág. 209.
21. XIII, ed. cit., pág. 85.
22. Ed. cit., pág. 186, verso 11.

y pobre hombre en sueños,
siempre buscando a Dios entre la niebla [23].

4. *Dos aspectos de procedimiento.*

  4.1. *Musicalidad. Aspectos métricos.*

Una de las primeras impresiones que se tienen
al leer o recitar el poema es la de su musicalidad.
Versos sonoros y ligeros a pesar de ir en metro relativamente largo (dodecasílabos casi todos) [24]. Contribuyen a este efecto la rima consonante y la fundamental flexibilidad sobre la que se establecen los distintos elementos del poema: repetición no simétrica
de rimas y estrofas, variación en los tipos de dodecasílabos, encabalgamiento, rima interna, hipérbaton,
etc.

Los encabalgamientos aparecen sobre todo en la
primera sección del poema tal como se hallaba divi-
dido en la edición de 1903 (v. 1-12) y en la estrofa
última, casi idéntica a la segunda. Corresponden a
la parte narrativa del poema y después prácticamente
desaparecen. Con frecuencia están en combinación con
el uso de rimas internas y dan fluidez a la composición al desvirtuar la fuerza de la rima final consonante:

En el solitario parque | la sonora
copla borbollante | del agua cantora
me guió a la fuente. |

Hay rimas internas de topo tipo: asonantes (*tar-
de/parque*), consonantes (*hermano/lejano*), dentro del
mismo verso (*vieja cancela, blanco mármol*). Algunas

---

  23. Ib., pág. 187.
  24. Todos son dodecasílabos, uno de los versos típicos del modernismo, menos tres (v. 4, 16 y 17) que son hexasílabos. La ordenación estrófica es una combinación de cuartetas cruzadas (5) y
pareados (16).

se dan entre palabras situadas en el interior del verso y las finales de versos próximos:

> Tú venías solo con tu pena, hermano;
> tus labios besaron mi linfa serena,
> en la clara tarde, dijeron tu pena.

Las aliteraciones son también frecuentes [25]. El sonido del agua se imita con efectos onomatopéyicos: *claro cristal de alegría* (v. 29), *sonora copla borbollante del agua cantora* (v. 9-10).

El conjunto da sensación de armonía y fluidez; los pareados, solos o distribuidos irregularmente en grupos de dos o tres, se deslizan con suavidad. La adjetivación apoya el equilibro del ritmo:

$$\overline{\text{Fue una tarde lenta} \quad \text{del lento verano}} \quad 15$$

$$\overline{\text{del parque dormido} \quad \text{eterna cantora}} \quad 45$$

4.2. *Recursos estilísticos en la expresión de la temporalidad.*

Uno de los aspectos estilísticos más importantes del poema son los recursos que se dirigen a dar idea de la inmovilidad del tiempo

Entre estos recursos se encuentra uno relacionado por naturaleza con lo temporal: la repetición. Aparecen reiterados muchos versos idénticos o muy parecidos (v. 1, 15, 39) y estrofas (2.ª y 5.ª, 3.ª y 14.ª); frases como el insistente *¿Recuerdas, hermano?* Se repiten las palabras claves, en posiciones significativas de centro y final de verso, a lo largo de todo el poema: *clara tarde, fuente, verano, pena,* etc.

También son abundantes los términos de conte-

---

25. Versos 15, 29, 39, 46, etc.

nido semántico que hacen relación a lo temporal. En casi cada verso del poema se alude directa o indirectamente al tiempo, unas veces con palabras de connotaciones temporales que expresan el transcurso:

	recuerdo (sueño) olvidada	lejano antiguo vieja polvorienta mohosa	leyenda historia
lenta soñolienta			

Otras veces las palabras indican el límite temporal, el contraste entre pasado y presente:

entonces	ahora presente	siempre monotonía

La alternancia de los tiempos verbales (pasado/imperfecto/presente) constituye otro recurso en la expresión de la temporalidad. Hay una variación constante a lo largo del poema que impide situarlo en un tiempo claro: por un lado, el pasado narrativo (*Fue una clara tarde* (v. 1 y 15, etc.) parece hacer referencia al día en que el poeta habla con la fuente, pero la fuente repite la frase (v. 39) refiriéndola a un tiempo anterior. El clima evocativo lo da el imperfecto; sin embargo, también ocurre que desde el presente del diálogo, el imperfecto corresponde unas veces a la acción narrada (v. 2-4, 9-12, etc.) y otras a una acción anterior, a una primera visita a la fuente más antigua (v. 19-25, 40).

En resumen, todos estos elementos contribuyen a una confusión intencionada de lo temporal, acorde con el tema, que el poeta percibe e intenta clarificar:

44

(la fuente)

> ¿Te recuerda, hermano,   12
> un sueño lejano mi canto presente?

(el poeta)

> No recuerdo, hermana,   17
> mas sé que tu copla presente es lejana.

Por otro lado, la fuente vuelve al equívoco en un juego un tanto irónico:

Fue *una* tarde lenta 15	Fue *esta misma* tarde 26
↓	↑
Fue *esta misma* tarde 20	Fue *una* clara tarde 39

"YO VOY SOÑANDO CAMINOS..."

por

José Luis Tejada

1. *Aproximación al poema.*

Nos encontramos ante una poesía de Antonio Machado cuya fecha de creación podemos precisar muy probablemente: El año 1906, en que, bajo el título de «Ensueños», la publicó en la revista madrileña «Ateneo». Cuando, un año más tarde, la incorpora a la primera edición de *Soledades, galerías y otros poemas,* ya el título ha sido definitivamente suprimido y sustituido por la cifra XI con que figura en las ediciones posteriores [1].

Es ésta, pues, sin duda, una de las muchas composiciones añadidas en 1907 a la edición primera de *Soledades* aparecida en 1903. En el conjunto de estas adiciones observa ya J. M. Valverde [2] la aparición de «nuevos tonos poéticos... y estampas descriptivas de visualidad sobria y casi novelística... en un plano más alto de calidad literaria..., una poesía capaz de decir lo que tiene delante de los ojos...».

---

1. Tomo estos datos del libro de A. SÁNCHEZ BARBUDO, *Los poemas de Antonio Machado.* Barcelona, Lumen, 1969, 2.ª edición, pág. 138. El texto del poema estudiado reproduce el de *Poesías Completas,* de Antonio Machado, Espasa Calpe, S. A. Madrid, 1946, 6.ª edición, págs. 22 y 23, y también, sin ninguna variante, el de *Obras Completas,* de Manuel y Antonio Machado, Plenitud. Madrid, 1957, pág. 661, y el de la edición de G. Ribbans de *Soledades, galerías y otros poemas.* Barcelona, Labor, 1975. Ribbans, que reproduce el texto de *Poesías Completas. 1936,* confirma la primera aparición de esta poesía en la revista «Ateneo», I, 1906, con el título «Ensueños», y señala la presencia de un espacio en blanco debajo de los versos 4A y 8A en las ediciones anteriores.
2. José María VALVERDE, *Antonio Machado.* Madrid, Siglo XXI de España editores, S. A., 1975, pág. 64.

Precisamente en este caso nos hallamos de lleno ante una de esas «estampas descriptivas de visualidad sobria», ante un saber «decir lo que tiene delante de los ojos». Sencillamente ante una poesía cuyo contenido es en buena parte un paisaje: el paisaje concreto y familiar de «su» Castilla soriana, cerca de Urbión, entre Navaleno y San Leonardo.

Pero al lado del evidente contenido paisajístico, ya de un paisajismo francamente subjetivista, se hilvana y entrevera, en dos canciones de aire tradicional y aun de corte popular, otro tema puramente sentimental, el cual se sobrepone hasta tal punto al primero, más de tres veces superior en extensión, que lo reduce, a nuestro entender, a un mero papel de escenario o telón de fondo que presta un marco amplio y moroso a la breve historia sentimental en dos tiempos que las canciones nos relatan.

Se trata, en realidad, según veremos, de dos poesías íntimamente entrelazadas en un conjunto de dos partes, cada una de las cuales participa de una y otra poesía.

2. *Los moldes métricos y expresivos.*

Aunque esta composición no es exactamente un romance, tiene de tal la versificación octosilábica y una cierta austeridad entre descriptiva y narrativa, además del sabor popular de dos de sus estrofas [3]. Aparte del inmenso intento de romance narrativo que es «La tierra de Alvargonzález», apenas aparecen en toda la obra machadiana unos doce romances, casi

---

3. Por su parte, la agrupación innumerable de octosílabos que en nuestra tradición se venía conociendo como romance empezaba a sufrir por estos tiempos un segundo grado de fragmentación y lirificación que continuaba el proceso iniciado en plenos Siglos de Oro, cuando nuestros primerísimos poetas recrearon el romance artístico: ahora, no solo se fracciona la tirada de octosílabos dobles en estrofas de 32 sílabas, con rima que puede ser incluso consonante y variable, sino que es ya la misma unidad rítmica del octosílabo la que se desintegra mediante pausas internas, mal llamadas cesuras (hasta 2 y 3 en un mismo verso), y con frecuentes encabalgamientos que incluso pueden ser interostróficos.

todos muy breves. Pocos son; pero tratan todos ellos de sus temas centrales y mayores: el caminar y el sueño, el dolor y la muerte. Emparentado con aquel famoso recolector de romances que fue D. Agustín Durán e hijo de un auténtico folklorista, tenía nuestro poeta que creer en el romance, según sus propias palabras, como «la suprema expresión de la poesía». Tanto, que ensaya dentro de *Campos de Castilla,* y, al parecer, sin demasiado éxito en el extenso poema antes citado, la resurrección del primitivo romance amplio y narrativo, como prolongación de nuestra tradición romanceril. Si fracasa en buena parte será por realizarlo de forma demasiado extensa, perfecta, culta y acabada. «Por falta de inocencia y porque se le ve el propósito», según J. R. Jiménez. Según Menéndez Pidal, «ni él ni Lorca acertaron a continuar» el Romancero tradicional.

Pero desde que, con R. Darío y con el propio J. R. Jiménez, el romance ha vuelto a hacerse «artístico» fragmentándose en cuartetas octosilábicas independientes y llegando incluso a usar la rima consonante, composiciones como esta que nos ocupa no van a quedar muy lejos de la forma romanceada. De ella le separan esta misma rima perfecta que se extiende incluso a los versos impares, el continuo cambio de la rima con cada estrofa y, sobre todo, una perfecta y simétrica organización mixta y bimembre que va a ser seguidamente analizada.

Es ya bastante significativo que uno de los pocos auténticos romances que escribió nuestro poeta se ocupe de un tema sensiblemente igual al de las respectivas canciones entrecomilladas que rematan las dos partes del poema aquí estudiado. Nos referimos al que lleva el número LXXXVI del apartado «Galerías», que se recoge en las páginas 94 y 95 de la citada edición de Espasa Calpe, y que se transcribe seguidamente para hacer resaltar la profunda analogía temática, con un dolorido ayer igualmente quejoso y fecundo, frente a la esterilidad negativa de un presente funesto que amenaza a la propia supervivencia del corazón del poeta:

Eran ayer mis dolores
como gusanos de seda
que iban labrando capullos;
hoy son mariposas negras.

¡De cuántas flores amargas
he sacado blanca cera!
¡Oh, tiempo en que mis pesares
trabajaban como abejas!

Hoy son como avenas locas,
o cizaña en sementera,
como tizón en espiga,
como carcoma en madera.

¡Oh, tiempo en que mis dolores
tenían lágrimas buenas,
y eran como agua de noria
que va regando una huerta!
Hoy son agua de torrente
que arranca el limo a la tierra

Dolores que ayer hicieron
de mi corazón colmena,
hoy tratan mi corazón
como a una muralla vieja:
quieren derribarlo y pronto,
al golpe de la piqueta [4].

---

4. Este romance, casi seguramente posterior al poema que nos

3. Estructura simétrica bilateral.

Dividida en dos partes que designaremos A y B, de idéntica extensión (12 versos cada una) están distribuidas ambas en 3 estrofillas, redondillas más exactamente con las rimas siempre consonantes, cruzadas en la 1.ª y 3.ª estrofa de cada parte y abrazadas en las dos estrofillas segundas o centrales.

Para que el paralelismo sea aún mayor ambas partes terminan con una especie de canción de tema tradicional y corte popular que el poeta parece querer presentarnos como anónimas mediante el recurso tipográfico del entrecomillado.

El esquema de tal estructura paralela podría ser el siguiente [5]:

ocupa, apareció por primera vez entre los «Proverbios y cantares» de la primera edición de *Campos de Castilla* en 1912. Pero cuando en 1917 se editan sus primeras *Poesías Completas*, lo encontramos certeramente trasladado al apartado de «Galerías», donde encaja mucho mejor por el tono y el tema. Este último, tan caro a Machado, reaparecerá más o menos modificado en otros lugares de su obra.

5. Numeramos esos 24 versos en dos series del 1 al 12 indicando la parte a que pertenecen mediante la adición de las letras A o B. Así el verso inicial del poema sería el 1 A, el décimotercero del poema o primero de la 2.ª parte sería el 1 B, y el verso final del poema sería el 12 B, y así sucesivamente.

Yo voy soñando caminos
de la tarde. ¡Las colinas
doradas, los verdes pinos,
las polvorientas encinas!...

¿A dónde el camino irá?
Yo voy cantando, viajero
a lo largo del sendero...
—La tarde cayendo está—.

«En el corazón tenía
«la espina de una pasión;
«logré arrancármela un día:
«ya no siento el corazón.»

1 —— Y todo el campo un momento
2 —— se queda, mudo y sombrío,
3 —— meditando. Suena el viento
4 —— en los álamos del río.

5 —— La tarde más se obscurece;
6 —— y el camino que serpea
7 —— y débilmente blanquea,
8 —— se enturbia y desaparece.

9 —— Mi cantar vuelve a plañir:
10 —— «Aguda espina dorada,
11 —— «quién te pudiera sentir
12 —— «en el corazón clavada.»

en un grado mayor de esquematización tendríamos:

A   B

1.er Par.: PAISAJE

```
Yo ————————↙   1  ————————————
———— . ..........↙     2  ........................↙
.........  ————————    3  .........  . ————
........................    4  ........................?
↗
↙
```

2.º Par.: TARDE

```
(¿....................?)    5  ————————————
Yo ————————————    6  ........................↙
————————————    7  ........................
(—..............—)    8  ———————————— .
```

3.er Par.: ESPINA (v. 10)

```
«....................    9  (————————’—:)
————————————’—   10  «....................
........................:   11  ————————————’—
————————’—»   12  ........................»
```

Las líneas rectas y continuas y las puntilleadas indican la alternancia de las distintas rimas. Las flechas hacia abajo (↙) señalan los encabalgamientos, que se indican, además, por la continuación del mismo trazado lineal al comienzo o en la totalidad del verso siguiente. Se reproducen los signos de puntuación en sus sitios correspondientes y se señalan mediante el uso de paréntesis ( ) los versos que constituyen o un inciso, como el 8A, o una transición, como el 5A o el 9B; casi todos ellos ejercen una misión ambigua de enlace entre dos estrofillas. Así, el 5A pertenece métricamente a la 2.ª redondilla, pero por su tono exclamativo-interrogativo y aun por su contenido más meditativo que no descriptivo ni narrativo, se diría una prolongación de la primera estrofa.

Un verdadero paréntesis descriptivo, aunque más temporal que espacial, es denunciado por el par de guiones parentéticos que escolta tipográficamente al 8A. En cuanto al 9B, tercer y último verso «ambiguo», sólo métricamente pertenece a la redondilla final. Su carácter introductorio de la solear, de la que se excluye por los dos puntos que lo rematan y por no estar entrecomillado, le afilían al que llamaríamos texto culto y enunciativo de las cuartetas anteriores.

Como remate de esta simetría están las canciones entrecomilladas con las que se termina cada parte: una cuarteta o copla (que cumple, además, todas las exigencias de rimas de las redondillas anteriores) al final de la primera parte y, como final de la segunda, una soledad o solear perfectamente aconsonantada también, cuyo verso central no queda suelto (no hay ningún cabo suelto en este poema) porque rima en consonancia aguda con el ya citado 9B. Hay, sí, más incisos, más pausas internas y más encabalgamientos en la primera parte que en la segunda, pero esta diferencia se corresponde perfectamente con un ritmo semántico (una velocidad de información o mensaje) también mucho mayor en dicha parte primera.

La cuarteta y la solear, los dos moldes más característicos de la copla castellana y del cantar andaluz, rematan, respectivamente, la parte 1.ª y la 2.ª, sino que ambas, contagiadas de las exigencias de acabado cultista que presiden todo el poema, tienen rimas consonantes en todos sus versos.

4. *La larga tradición del tema sentimental.*

Aunque acaso fuera más exacto considerar las canciones entrecomilladas que rematan cada parte como dos estrofillas de una misma canción («*Mi* cantar *vuelve* a plañir» declara el verso 9B, como avalando esta unicidad con la expresión del punto de vista de su propio autor), aunque una lectura ininterrumpida de todo el texto entrecomillado basta para verificar la unidad y continuidad monotemática de estos siete octosílabos que bien pudieran ir seguidos y subsistir sin depender del resto; sin embargo, sólo por una cuestión metodológica y en aras del mejor orden y de la mayor claridad, se sigue hablando aquí de dos canciones. Adentrémonos ya en su tema común.

Difícilmente se encontraría (y menos en la tradición popularizante) otro asunto más sutil, más puramente lírico. No se canta aquí directamente al amor. Ni siquiera es lo más importante el dolor que aquél suele llevar consigo. El verdadero núcleo temático es mucho más complejo y refinado: ese dolor de amor puede perderse, al extinguirse su causa, por mor del tiempo o del olvido. Y, una vez perdido, se echa de menos angustiosamente, como si la cicatrización de aquella herida pasional hubiese comportado la muerte, la *necrosis* de todo el corazón que, ya insensible, no da señales de estar vivo. Se trata, pues, del dolor por la pérdida del pesar amoroso: del «dolor por el dolor de amor, perdido». Pero lo más admirable es que tamaña sutileza, que se diría de la más pura estirpe trovadoresca como flor exquisita del Cancionero «cortés», aparezca tantas veces injertada entre las rústicas de una tradición menos culta que popular.

La hemos hallado primero en este estribillo anónimo de una saetilla navideña que más tarde glosaría Sor Juana Inés de la Cruz:

«Pues mi Dios ha nacido apenas,
déjenle velar.
Que no hay pena en quien ama
como no penar.»

Como expresión específica de la connaturalidad y de la necesaria congruencia entre un amor y un dolor inseparables está este otro estribillo, probablemente anónimo:

> «Más vale trocar
> placer por dolores
> que estar sin amores.»

y que Juan del Encina desarrolla en esta especie de glosa a la que acaso él mismo puso música:

Amor que no pena	Donde es gradescido
no pida placer.	es dulce morir.
Pues ya le condena	Vivir en olvido
su poco querer.	aquel no es vivir.
Más vale perder	Más vale sufrir
placer, por dolores	pesar y dolores
«que estar sin amores».	«que estar sin amores».

No era nada probable que un tema tan sutilmente lírico, de un lirismo según veremos tan nostálgico y de una *saudade* muy «atlántica», faltara en la obra del portugués Gil Vicente [6]. Y en efecto no falta: en un parcial y somero repaso de su obra encontramos por lo menos dos muestras del mismo tema. En la *Comedia de Rubena*:

> «¡Consuelo, vete con Dios!...
> ¡No pierdas tiempo conmigo!

> Consuelo mal empleado,
> no consueles mi tristura:
> ¡vete a quien tiene ventura
> y deja al desventurado!
> No quiero ser consolado,
> antes me pesa contigo.
> ¡No pierdas tiempo conmigo!»

---

6. Echar de menos algo, aunque sea el dolor, es una constante de la lírica gallego-portuguesa y aun de la extremo-occidental. Occidental de Salamanca es Juan del Encina; portugués, Bernardim Ribeiro, y gallega, Rosalía de Castro. De Santiago de Compostela era el padre de nuestro poeta y de probable raigambre portuguesa el apellido Machado.

pero, sobre todo, esta cantiga de la *Tragicomedia de Dom Duardos*:

> «¡Oh mi pasión dolorosa,
> aunque penes, no te quejes,
> ni te acabes ni me dejes!
>
> Dos mil suspiros envío
> y doblados pensamientos,
> que me trayan más tormentos
> al triste corazón mío.
> Pues amor que es señorío
> te manda que no me dejes,
> ¡no te acabes ni te quejes» [7]

No parece casual que sea también portugués Bernardim Ribeiro quien en su égloga V escribe:

> «Trago huma tristeza tal,
> que morro com a alegría;
> Tan contento soy co'o mal,
> Que sempre mal ter quería.»

En cambio es del otro extremo de la península el barcelonés Juan Boscán, quien, en una poesía titulada «Mar de amor» y dentro de una clara línea trovadoresca, se expresa de este modo:

> «Es tan dulce mi pesar
> y bivo en él tan contento,
> que de no lo osar tratar
> con temor de lo acabar
> bivo con mayor tormento.»

---

7. He tomado estos dos ejemplos de las págs. 396 y 404 de la selección que con el título *Gil Vicente. Teatro y Poesía* hizo, prologó y anotó Concha de Salamanca en el n.º 155 de la colección «Crisol», publicada en Madrid por Aguilar en 1946. Probablemente habría encontrado más y mejores versos sobre el mismo asunto si hubiera podido consultar las *Obras Completas* del gran poeta peninsular.

Para que no todas las citas sean ibéricas, y para insinuar siquiera la amplitud tradicional de lo que debió ser un «*topos*» del cancionero cortés, copio aquí una parte del «*commiato*» con que Victoria Colonna remata por estos mismos años una de sus canciones petrarquistas:

> «...e la cagion puó tanto,
> che m'é nettare il foco, ambrosia il pianto.»

Sin contar con los muchos pasajes análogos de nuestra poesía mística, desde el conocido «que muero porque no muero» de Santa Teresa, a la «...llama de amor... que tiernamente hieres...» a la que San Juan de la Cruz insta, impaciente: «acaba ya si quieres, / rompe la tela...», va a ser naturalmente en el Romanticismo donde el tema va a reaparecer con intensidad y frecuencia sintomáticas. Así en Bécquer, en su Rima XLVIII, encontramos ya este dolor de amor corporeizado en un «hierro» que ha herido las entrañas del poeta:

> «Como se arranca el hierro de una herida
> su amor de las entrañas me arranqué,
> *aunque sentí al hacerlo que la vida*
> *me arrancaba con él.*»

No descubrimos nada nuevo al señalar las afinidades y presencias del autor de las *Rimas* en su paisano y, en buena parte, su heredero. Señalemos, en el terreno de los precedentes, la concreción del dolor sentimental en un arma punzante, un «hierro», y el uso, por tres veces en un espacio de cuatro versos, del mismo verbo «arrancar», bajo tres formas personales que constituyen una especie de poliptoton; verbo cuyos valores de expresividad semántica y onomatopéyica lo van a convertir en lo sucesivo en pieza poco menos que irreemplazable cada vez que se trate de este tema.

Pero sigamos aún con Bécquer. En su Rima LVI describe su propio corazón desamorado «Moviéndose a compás como una estúpida / máquina...» y lamenta el deslizamiento monótono de los días idénticos... «todo ellos / sin goce ni dolor», para acabar sumido en pleno centro de nuestro tema, con estas dos exclamaciones:

«¡Ay!, a veces me acuerdo suspirando
del antiguo sufrir...

Amargo es el dolor; pero siquiera
¡padecer es vivir!»

No insistiremos ahora en las hondas analogías que emparentan esta rima al cantar machadiano. Veamos otra muestra también en el propio Bécquer.

Se trata de su rima LXIV, tan breve y tan idónea que hay que transcribirla aquí completa:

«Como guarda el avaro su tesoro
guardaba mi dolor;
yo quería probar que hay algo eterno
a la que eterno me juró su amor.

Mas hoy le llamo en vano y oigo al tiempo,
que lo agotó, decir:
«¡Ah barro miserable, eternamente
no podrás ni aún sufrir!»

Romántica y galaica, tenía que ser Rosalía de Castro quien más se demorase en este asunto de la añoranza del dolor de amor perdido. Aparte de otros

8. Para no desbordar las proporciones de este trabajo, que no es propiamente un estudio sobre el tema ni pretende agotarlo, no he querido asomarme siquiera al inmenso mundo de los Cancioneros de cuya vertiente trovadoresca provenzal muy bien puede proceder este motivo lírico. Los dos últimos ejemplos que he citado los tomo de una nota que Rodríguez Marín pone al pie de una de las coplas populares andaluzas que citaré más adelante. Véase *El alma de Andalucía*. Madrid, 1929, pág. 256.

lugares en que lo roza («por qu'á dor, enche tanto!»),
lo desarrolla morosamente en la composición X de
sus *Follas Novas*:

> «Unha vez tiven un cravo
> cravado no coraçón,
> y eu non m'acordo xa s'era aquel cravo
> d'ouro, de ferro ou d'amor.
> Soyo sei que me fixo un mal tan fondo,
> que tanto m'atormentóu,
> qu'eu dia e noite sin cesar choraba
> cal chorou Madalena n'a Pasión.
> «Señor, que todo ó podedes
> —pedinlle unha vez a Dios—,
> daime valor par'arrincar d'un golpe
> cravo de tal condición.»
> E doumo Dios e arrinqueimo,
> mais…, ¿quén pensara?… Despois
> xa non sentin mais tormentos
> nin soupen qu'era delor;
> soupen sô que non sei qué me faltaba
> en donde ò cravo faltóu,
> e seica… seica tiven soidades
> d'aquela pena… ¡Bon Dios!
> Este barro mortal qu'envolve ò esprito,
> ¡quén-o entenderá, Señor!…» [9].

Veintidós amplios versos para un tema que Antonio Machado encerrará en siete octosílabos. Pero coe-
xisten en él el hierro, «ferro», de Bécquer junto al
oro de buena parte de la tradición posterior. Ya
aparece dos veces aquel verbo, «arrincar» en este ca-

9. Reproduzco exactamente la ortografía enxebre de las *Obras
Completas* de Rosalía de Castro, recopiladas por Victoriano García
Martí y publicadas en Madrid por Aguilar en 1952, pág. 424 de
la tercera edición. Para la presencia de Bécquer y Rosalía en este
poema machadiano es útil consultar el artículo «Bécquer, Rosalía
y Machado» en R. LAPESA, *De la Edad Media a nuestros días*, Gredos, 1967, y «La flecha alegórica con que hiere el amor» en R. FE-
RRERES, *Los límites del Modernismo*, Taurus, 1964.

so, que consignábamos como definitivo. Y se hacen constar expresamente las «soidades d'aquela pena»... casi como una perfecta definición de nuestro asunto.

Pero acaso la gran lección de sobriedad intensificadora la aprendió Antonio, como tantas otras cosas, en su hermano mayor: No se puede extractar este tema más que lo comprime Manuel Machado en la, según él, «soleariya» con que inicia el poema «La pena» de su libro *Cante Hondo*:

> «Mi pena es muy mala
> porque es una pena que yo no quisiera
> que se me quitara.» [10]

Pero es casi seguro que nuestro poeta, además de alguna que otra versión del tema, viva en la tradición oral vigente, como:

> «Tengo una pena muy buena
> que es mejor que una alegría.
> Si me quitaran la pena
> de pena me moriría.»

conocería la mayor parte de las que sobre el mismo asunto recogió años más tarde D. Francisco Rodríguez Marín:

> Estoy tan hecho a penas
> que en no penando
> parece que me falta
> lo necesario.

---

10. Edición citada de *Obras Completas* de A. y M. Machado de la Editorial Plenitud, pág. 130. Manuel Machado designa, impropiamente a nuestro criterio, como «soleariya» lo que, repitiendo el primer hexasílabo como suele hacerse en este cante, es una auténtica seguiriya o siguiriya gitana (6 - 6a - 11 - 6a), mientras que el esquema métrico de la soleariya sería completamente distinto (3a - 8 - 8a). Preocupado por un afán de sobriedad que raya en el laconismo, el mayor de los Machado ni siquiera repite el primer verso, repetición que sería imprescindible para el cante.

Yó le pregunté a Undebé
si mi pena acabaría,
y me dijo: «No pué ser:
sin ella no vivirías».

Yo ya no puedo llorá
se han secaíto mis ojos.
Matarme, por caridá [11].

También otros poetas como Tomás Morales, o
Amado Nervo, que define al amor como un «clavo
de oro», insisten en esta tradición temática que se
prolonga, por lo menos, hasta Luis Cernuda cuando
escribe: «Un agudo puñal / alegría y tormento es el
amor». Pese a su sutileza y complejidad, el tema éste
del dolor por el dolor de amor perdido, fue tan culti-
vado en distintos tiempos, y ámbitos literarios que
debe ser incluido a nuestro entender entre los «to-
poi» tradicionales [12]. Con todo, hay algo que querría-
mos dejar claro: Esta forma de la canción, con sus
siete versos en dos estrofillas separadas es, seguramente, original de Antonio Machado. Es un caso más
de recreación culta, de salvación literaria de un tema
de tradición, al menos en parte, popular. Un ejemplo
entre muchos de lo que es casi una constante de nuestra lírica, desde las jarchas hasta hoy. Sin embargo,
nuestro autor, con una deliciosa ambigüedad de su-
perchería literaria, como si se tratara de un «apócrifo» más de los suyos, nos la presenta, en contraste
con el resto del poema, encerrada y como segregada
mediante el recurso tipográfico del entrecomillado.
¿Pretendió hacerla pasar por popular y anónima o
era sólo una forma de reconocer su importante deu-

11. Francisco RODRÍGUEZ MARÍN, obra citada, págs. 256, 259 y 268
respectivamente.
12. Es tal el arraigo del tema y su extensión que de él encontramos muestras hasta en el género ínfimo de las letras de la canción moderna, como aquella en que se canta: «Tú eres como una
espinita / que se me ha clavado en el corazón / Suave que me
estás matando / que me están sangrando de pasión.»

da temática para con la tradición que hemos señalado? Más probable nos parece esto último en un poeta de su talante.

Lo que sí aparece claro y decisivo en este caso es el también tradicional procedimiento combinatorio, que llamaríamos «técnica del engaste», por cuyo medio, en un poema de carácter mixto, aparece dicha canción como incrustada o engastada dentro de otro poema más extenso, de muy diversa condición y temática. Es, para no citar más ejemplos, el mismo modo de entremezclar los versos y temas cultos con los más o menos populares, que se sigue en las citadas jarchas mozárabes o en el conocido villancico del Marqués de Santillana «a sus tres fijas». Porque frente a los siete versos del cantar hay más de veinte octosílabos engarzándolos, cuyo tema y estilo merecen párrafo aparte. La estructura, completa y mixta, del poema se podría representar por el siguiente diseño:

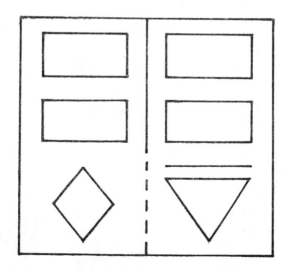

en el que el rombo y el triángulo representan las dos canciones entrecomilladas, con tantos lados como versos, mientras los cuatro rectángulos superiores significan el conjunto en dos partes de los versos que las preceden.

5. *La poesía de la tarde y sus caminos.*

Apenas cabría discutir que, dentro de la unidad que el autor pretende y consigue dar al conjunto heterogéneo, los 17 versos no entrecomillados tienen en éste una función *marginal* sin que demos a esta palabra ningún alcance peyorativo. Se trata simplemente de emplear la descripción dinámica del atardecer en un paisaje del campo castellano como mero margen o fondo de la canción bipartita. La ubicación geográfica del paisaje no puede ser más machadiana. Incluso hay quien ha intentado localizar exactamente el escenario. No nos parece demasiado significativa esta identificación precisa, en cuanto que, como veremos enseguida,, y sin dejar de ser reales y concretos, estos «caminos» trascienden su propia peculiaridad agraria para ascender a la categoría de símbolo, lo mismo que le ocurre a la fluyente «tarde».

No descubrimos nada nuevo si señalamos el simbolismo, de probable progenie manriqueña, que los «caminos» encarnan en la poesía de Antonio Machado [13]. Muchas veces este valor simbólico coexiste con la referencia a un camino material y terrestre que le sirve como de plataforma de lanzamiento. Caminos que, por ser «de la tarde», se han transferido del plano espacial al temporal, desrealizándose. Y, porque el poeta va soñándolos más que recorriéndolos,

---

13. Véase «Los Caminos poéticos de A. Machado» en el libro de Concha ZARDOYA *Poesía Española del 98 y del 27*, Gredos, Madrid, 1968, especialmente las págs. 117 («los caminos y el tiempo») y 118 («los caminos del sueño»). Sobre el simbolismo de A. Machado en general, sobre la posible huella bergsoniana y sobre la eficacia poética de las pausas en este poema, ver principalmente el capítulo VII del libro de J. M. AGUIRRE, *Antonio Machado, poeta simbolista*, Taurus, 1973.

se desplazan del presente hacia un pasado que se evoca en el «ensueño». No se olvide que el plural de esta palabra, «Ensueños», constituyó el único título que tuvo este poema. Caminos con la base previa, real, de un paisaje concreto y conocido de «colinas», «pinos» y «encinas» con unas apariencias particulares, «doradas», «verdes», «polvorientas». Caminos recorridos antes y recordados ahora.

Sobre este «ahora» del poema, sobre el doble presente verbal de los dos «voy», cabría señalar la deliberada ambigüedad entre el vago ucronismo del sueño en el verso 1A (reforzado por el utopismo sugerido en el 5A) y la exacta cronología vigílica del 6A, 7A, 8A, 1B y 5B. En especial el 8A y el 5B cuyo sujeto común es la tarde, una misma tarde en dos instantes sucesivos. Lo mismo ocurre con el marco espacial del paisaje, los «caminos», que con el encuadre temporal de «la tarde»: que son y no son, sucesiva y aun simultáneamente, concretos o irreales, según las necesidades del poeta. El tiempo puede detenerse en un momento eterno (versos B1 a B3), como cuajado en el silencio. El paisaje, el espacio evocado, «funciona en el poema como escenario» como muy bien ha visto Aguirre[14]. Y aunque su ensoñación evocadora se nutra de unas realísimas caminatas anteriores, parece claro que el poeta escribe recordando el pasado desde un presente inmóvil, ya que toda la circunstancia espacio-temporal que se nos describe sólo funciona como marco de la doble canción sentimental entrecomillada, que estimamos como núcleo temático, como joya engarzada en ese marco.

Dentro de un perfecto orden lógico gramatical (sujeto, verbo, complemento...) y como un emblema del subjetivismo lírico que lo preside, el poema se inicia con el pronombre de primera persona: «Yo». Con él va a iniciar también Juan Ramón Jiménez otra poesía de tema paralelo: «Yo iba detrás de una

---

14. Obra citada, pág. 131.

copla / que había por el sendero». Pero el yo machadiano, más tarde trascendido en la búsqueda del «tú esencial», es mucho menos egocéntrico y absorbente que el de Juan Ramón. «Voy», único verbo en forma personal de toda la estrofilla, no indica acción alguna. Indicaría moción o dinamismo si no fuera anulado por el estatismo semántico del «soñando» que completa la perífrasis verbal. Si el poeta va soñando, no «va» a ninguna parte, sólo sueña. Sueña caminos; no los anda, porque no los hay: «no hay caminos»... «se hacen... al andar» o al soñar, porque «los nuestro es pasar» haciéndolos... «sobre la mar». Soñar caminos vale tanto como caminar en sueños, como evocar senderos conocidos, queridos, familiares a la planta y al corazón. Pero éstos son caminos «de la tarde». Algo se ha dicho ya de esta transferencia bivalente: ir soñándolos es lo mismo que ir *recorriendo momentos del paisaje*. Por lo menos desde Manrique, en «un altar» poético para Machado, el río o el camino son emblemas del transcurrir del hombre por el espacio o por el tiempo. Y desde Calderón, o acaso mucho antes, el soñar equivale al vivir. La tradición ascética española late como trasfondo de estas doce primeras sílabas.

Los versos A5, A6 y A7, los tres brochazos de que hablaremos, son puramente estáticos en su absoluta carencia verbal: Pintan el escenario por donde el poeta pasa o sueña, tienen el valor de una acotación o de un decorado.

El A8, incisivo, meditativo, sentencioso, refuerza el valor simbólico de este «*cammin de nostra vita*» que va hacia ...no sabemos dónde. Sugestión poética de lo desconocido y misterioso de lo que más nos atañe, el destino del hombre: «...y no saber adónde vamos / ni de dónde venimos». Resonancia del interrogativo como en San Juan de la Cruz: «*¿Adónde te escondiste?*». La misma indagación sobre un «Ubi» ignorado y apremiante. Curioso también el verso quinto que continúa, en cuanto al tema, el de la estrofa anterior, pero que pertenece métricamente a la segunda, ejerciendo así, desde su condición de inciso interrogativo, una función de enlace entre las dos primeras redondillas, analoga a la del italiano verso «chiave» de las estancias petrarquistas.

El arranque del verso 6A ofrece un evidente paralelismo sintáctico y semántico con el que abre el poema:

A1:   Yo | voy | soñando | caminos...
A6:   Yo | voy | cantando | viajero...

El poeta vuelve sobre lo dicho modificándolo, para reforzar en cambio ahora la impresión de realismo y concreción: Pero no se desdice ni se contradice: soñar caminos del tiempo o cantar mientras se viaja por un sendero del espacio es lo mismo para el poeta meditabundo, existencial.

Como tales caminos geográficos, reales y concretos, los de este poema aparecen descritos con una especie de técnica impresionista, un tanto esquemática o estilizada: tres pinceladas o brochazos a los que corresponden, respectivamente, otros tantos diseños de una flora concreta (colinas, pinos, encinas) y otros tantos matices cromáticos o aspectuales (doradas, verdes, polvorientas). También con tres brochazos, aunque menos plásticos y concretos, «el ciego sol, la sed y la fatiga», había esbozado su hermano Manuel toda la atmósfera del destierro cidiano. En cuanto a las referencias al transcurso temporal hay varias «instantáneas» o «fotos fijas» destacadas de la película de un crepúsculo que va perdiendo obviamente a la vez luz y colores: la 1.ª, incisiva, como una acotación, entre corchetes, sería el verso A8: «—la tarde cayendo está—», dinámico ya, pero todavía sin mayores apremios ni urgencias, aunque esta «tarde» se entienda, además, en un sentido figurado, como el crepúsculo de la vida humana, y por más que el autor cuando esto escribió sólo contaba 31 años. El verso alude a los comienzos del crepúsculo, en una hora imprecisable —¿las seis de la tarde?— de no sabemos qué estación del año, en el entrañable campo soriano.

Suena entonces la primera parte de la canción (versos A9-A12) y repercute sobre un paisaje humanizado que se inmoviliza y calla para mejor meditar. Se diría que hasta el transcurso temporal se ha detenido al menos «un momento». Trece nasales, *m, n,* en la primera cuarteta de la segunda parte, parecen reforzar onomatopéyicamente esta impresión de quietud tensa y pensativa. No hay sonido («campo... mudo») ni apenas luz («sombrío»). Solo el alma del campo, la que tienen, según el propio poeta, las tierras de Castilla, «se queda... meditando» sobre el sentido de la canción. La emoción del poeta-cantor se ha proyectado sobre un paisaje espiritualizado. El verbo en forma activa, «se queda», indica expresamente la cesación de todo movimiento. Únicamente el viento sonando entre los álamos (tercera especie arbórea que completa la flora de la escena), rompe el ensalmo y reanuda el proceso del atardecer, con su rúbrica sonora.

Ya puede proseguir el oscurecimiento gradual, propio de cualquier crepúsculo: «La tarde» que estaba ya «cayendo», ahora «más se oscurece» (¿serán ya las seis y media, las siete?). El serpeante «camino», geográfico y simbólico (serpear es la forma indecisa de proseguir andando sin apenas avanzar, como un enfermo o un ebrio que vacila) va perdiendo su color poco a poco «y débilmente blanquea». Con la reducción lumínica apenas se distingue de su propio contorno. Un instante más (¿las 7 y 15?) y «se enturbia»; otro poco de más oscuridad (noche ya, ¿las 7 y ½?) «y desaparece» [15] del paisaje rústico

15. Es el mismo caso del verso de Benavente en el prólogo poético de *Los intereses creados*: ...«El jardín en sombras no tiene colores». Algo que no hacía falta decir pero que acrecienta la emo-

y a la vez de la perspectiva vital del «homo-viator». Una vez más, «no hay caminos». Ante su falta, el resto del cantar se ha vuelto un puro llanto: «mi cantar vuelve a *plañir*». Cantar que es suyo por la forma nueva que adopta y que no es suyo por cuanto debe a la tradición del tema.

6. *Conclusión.*

Dos poemas en uno, magistralmente entreverados: una canción de corte y tema tradicionales «partida por gala en dos» y como engastada en el doble marco de un paisaje geográfico y simbólico.

En la canción se expone toda una tesis sentimental: cuando el dolor de amor se olvida es porque el corazón ha muerto. La cicatrización de una herida amorosa comporta la muerte total de esa tópica víscera en que se sitúan convencionalmente y desde siempre las pasiones. Consciente de esa incapacitación, el poeta, el pueblo, el hombre, añora el sufrimiento amoroso aquel que al menos le hacía sentirse vivo. Y daría cualquier cosa por no haber arrancado nunca la espina de aquel dolor, por poder seguir sintiendo los efectos de su herida. Pero la situación es ya del todo irreversible. Acaso un nuevo amor, si el poeta fuera capaz todavía de volver a enamorarse...

Asombra pensar toda la intuición profética encerrada en esos 7 versos, escritos cuando Antonio aún no ha conocido a su Leonor. Luego su amor, su muerte prematura, le dejarán por muchos años una herida... ¿incurable? ¿Logró luego el tiempo cicatrizar aquella herida? Sabemos que nuestro hombre volvió a enamorarse de la ya no tan misteriosa «Guiomar», a la que llama «diosa», «madona del Pilar»... Para plasmar en su poesía esta nueva experiencia amorosa el poeta vuelve al símbolo del camino (recordando

---

ción estética una vez dicho: campo o jardín nocturnos, acromáticos por la falta de luz. Dos muestras de un contenido casi idéntico, salvadas por la poesía de la obviedad.

medio verso del Dante) y al mismo tópico de la herida cordial, producida esta vez no por una espina que se queda incrustada en el corazón, sino por una flecha que lo atraviesa:

«*Nel mezzo del cammin* pasóme el pecho
la flecha de un amor intempestivo...»

No hacía falta para ello que Machado se hubiera olvidado de la pobre Leonor Izquierdo. Pero sí que el recuerdo, la herida de aquel sufrimiento amoroso por su pérdida, hubieran cicatrizado, encallecido lo bastante como para hacerle capaz de otra pasión que el poeta va a tachar de «intempestiva». Una vez más, el vate se adelanta a vaticinar su futura biografía, como se adelantó también en predecir su propia muerte «ligero de equipaje... como los hijos de la mar» [16].

En cuanto a los 16 versos restantes (no 17, porque el B9: «Mi cantar vuelve a plañir», es mera introducción de la solear final), su tema no puede ser más machadiano: un fondo del paisaje rústico de Soria (un camino, unos árboles, un río y un rumor del viento en la tarde), fondo por el que pasa, o por el que sueña, solitario, el poeta. La propia e intensa vivencia existencial del transcurrir del tiempo reflejado en la progresiva reducción de la luz crepuscular trae a su recuerdo y a sus labios aquel cantar, castellano y andaluz en su doble estructura métrica de cuarteta y solear. Y el poeta le presta al viejo tema, que en él revive, una forma difícilmente superable en sencillez y en densidad. El hierro, el clavo, se han vuelto espina de oro, aguda y valiosísima, difícil de arrancar. Cuando por fin logra quitársela advierte entonces con una mayor pena que ha perdido con ella la capacidad

---

16. Es sabido cómo un «equipaje» de dos maletas conteniendo los papeles más queridos del poeta tuvo que ir siendo abandonado a lo largo «del último viaje» en camión hacia Francia, para morir en Collioure, donde yace, todavía, en su cementerio junto al mar, entre «los hijos de la mar».

de sentir y de sufrir, al cabo síntomas de vida espiritual. Y al verse, como Bécquer, «muerto... en pie», invoca a la antigua espina para que vuelva al pecho y, con ella, la posibilidad del sentimiento.

Más tarde escribirá, a su segundo amor precisamente, un verso que sintetiza toda una teoría poética según la cual la poesía no es compatible con la presencia ni con la posesión, sino que nace siempre de la falta de algo que se añora y de cuya añoranza brota el poema: «...Se canta lo que se pierde».

Aquí nuestro inmortal sevillano demuestra con la práctica esa valiente tesis teórica, cantando de una forma definitiva, insuperable, lo que ha perdido y porque lo ha perdido. Aunque el objeto de su añoranza y de sus versos sea esta vez el mayor de los dolores: el que causa la herida del amor.

APROXIMACION A "ES UNA

TARDE CENICIENTA Y MUSTIA..."

DE ANTONIO MACHADO

por

TRINIDAD BARRERA LÓPEZ

LXXVII

Es una tarde cenicienta y mustia,
destartalada, como el alma mía;
y es esta vieja angustia
que habita mi usual hipocondría.
5 La causa de esta angustia no consigo
ni vagamente comprender siquiera;
pero recuerdo y, recordando, digo:
—Sí, yo era niño, y tú, mi compañera.

Y no es verdad, dolor, yo te conozco,
10 tú eres nostalgia de la vida buena,
y soledad de corazón sombrío,
de barco sin naufragio y sin estrella.
Como perro olvidado que no tiene
huella ni olfato y yerra
15 por los caminos, sin camino, como
el niño que en la noche de una fiesta
se pierde entre el gentío
y el aire polvoriento y las candelas
chispeantes, atónito, y asombra

20 su corazón de música y de pena,
  así voy yo, borracho melancólico,
  guitarrista lunático, poeta,
  y pobre hombre en sueños,
  siempre buscando a Dios entre la niebla. (*

El móvil que me ha guiado hacia estas líneas ha sido el hecho de encontrar en ellas un claro exponente de estas «galerías, / sin fondo del recuerdo». El poema en cuestión es fiel reflejo del poeta del interior que se nos manifiesta en esta extensa colección de la obra machadiana *Soledades. Galerías y otros poemas* [1]. Mas por encima de esta introspección relucen las coordenadas principales que guiarán la poesía de Antonio Machado hasta el final de su producción poética. Y es que como bien dice Cernuda: «Machado nace formado enteramente, y el paso del tiempo nada le añadirá...» [2].

En este mismo año de 1907 publicará Unamuno sus *Poesías*. Curiosa coincidencia, ya que una gran amistad y afinidad espiritual unía a estos dos grandes epígonos. El ritmo de la poesía de Unamuno late en ciertos momentos acompasado a la de Machado. Ambos muestran el fondo de un alma angustiada por la búsqueda de Dios, aunque los caminos que recorrerán para su búsqueda serán distintos [3].

_____

(*) Tanto esta composición como las referencias que a lo largo de este comentario se hace a otras composiciones machadianas están tomadas de Antonio MACHADO, *Obras. Poesía y prosa*. Buenos Aires, Losada, 1964. La página correspondiente a este poema es la 112.

1. *Soledades* conoció la luz en 1903 y refundida años después (1907) con la adición de nuevas composiciones que mantenían en gran parte el tono de las primeras, bajo el nombre de *Soledades, Galerías y otros poemas*. En esta segunda edición fue incluida esta composición con el número LXXVII.

2. CERNUDA, Luis. *Estudios sobre poesía española contemporánea*, Madrid, Guadarrama, 1972, p. 96.

3. «Esa tu filosofía
 que llamas diletantesca,
 voltaria y funambulesca
 gran don Miguel, es la mía.»
   (C. de C., *Poema de un día*, p. 185.)   →

El poeta nos invita a entrar en su interior «dentro del alma». Tras una primera lectura nos damos cuenta de que se trata de la expresión subjetivista del poeta a través del cauce directo de la primera persona, como lo atestiguan los posesivos: mía (v. 2) y mi (v. 4) y los verbos en primera persona: no consigo (v. 5), recuerdo (v. 7), digo (v. 7), yo te conozco (v. 9), voy (v. 20). En este proceso comunicativo que va de emisor (el poeta) a receptor (el lector), este último ha quedado relegado a mudo testigo de las palabras de aquél [4].

La composición consta de dos partes claramente delimitadas por un asterico, pero hasta la edición de 1936 eran dos poemas independientes. De hecho, ambas por separado tienen entidad propia; sin embargo, al fusionarse se completa mejor su significado.

El poeta, como antes decíamos, va a bucear dentro de sí y con ese intimismo que caracteriza gran cantidad de las páginas poéticas de *Soledades,* tomará leve contacto con el mundo exterior, y así nos encontramos con el primer verso:

1   Es una tarde cenicienta y mustia

Ya tenemos un escenario: la tarde, por el que Machado siente especial predilección. No hay más que echar una ojeada a sus poesías y veremos cómo abundan aquellas que comienzan de similar manera:

Tierra le dieron una tarde horrible
(Sol., IV, p. 57)

Sobre las relaciones de Machado y Unamuno ver Aurora de Albornoz, *La presencia de Miguel de Unamuno en Antonio Machado,* Madrid, Gredos, 1968.

4.   Ya Dámaso Alonso hizo notar que: «aquellas *Galerías* de su obra, no eran sino intensas proyecciones de su espíritu, el espíritu del poeta proyectado sobre el paisaje que describe o sueña, traspasándolo todo». (*Cuatro poetas españoles,* Madrid, Gredos, 1962, p. 143.)

Una tarde parda y fría
(Sol., V, p. 58)

Fue una clara tarde, triste y soñolienta
(Sol., VI, p. 59)

Yo voy soñando caminos
de la tarde
(Sol., XI, p. 64)

En una tarde clara y amplia como el hastío
(Sol., XVII, p. 69)

Estos ejemplos y otros más ponen de relieve la preferencia en Machado por la hora crepuscular. Ecos ramánticos parecen resonar con la tarde y es que sin lugar a dudas es una hora que inclina de por sí a la melancolía debido a los tintes semioscuros del ocaso, al apagamiento solar. A esta tarde, Machado va a aplicarle tres adjetivos que añaden una connotación muy precisa: *cenicienta, mustia* y *destartalada*. Adjetivos muy manejados por el poeta sevillano, pero no por eso desprovistos de gran resonancia afectiva, los cuales ejercen una especial premonición: tintes negros van a descubrirse. Los tres adjetivos portan una significación negativa, *carencia de algo*:

cenicienta: carencia de luminosidad.
mustia: carencia de alegría.
destartalada: carencia de proporción.

Y rápidamente vendrá la identificación del paisaje exterior con el mundo interior del poeta del que hablábamos antes:

1   Es una tarde cenicienta y mustia
2   destartalada *como el alma mía* [5]

---

5. La identificación tarde = alma se encuentra también en otros poemas.

Tarde tranquila, casi
con placidez de *alma*.
(Gal., LXXIV, p. 111.)

Estos dos versos actúan a manera de introducción del poema. Ya en el tercer verso aparece el eje temático que ha motivado la composición: la ANGUSTIA.

3   y es esta vieja angustia
4   que habita mi usual hipocondría.

Verbos completamente vacíos de significación (ser, habitar) y acumulación de sustantivos y adjetivos.

   ¿Es la tarde la que provoca la angustia del poeta o el poeta que angustiado ve de ese color la tarde? Poco importa la respuesta, pero me atrevería a afirmar que Machado transfigura los objetos con tocarlos, en este caso ve la tarde cenicienta y mustia porque su alma está angustiada [6]. De esta forma nos encontramos con una tarde carente de luminosidad debido a su voluntad expresa de no proyectar luz sobre ella.

   Pero ¿cuál es la causa de esta angustia? Para intentar explicársela, Machado se sumerge en los *recuerdos,* elemento clave dentro de las «soledades» machadianas:

7   pero recuerdo y, recordando, digo:

Hemos dado un salto en el tiempo, el poeta se ha proyectado hacia el pasado dando lugar al contraste entre el ayer y el hoy —juego temporal frecuente en el poeta sevillano— y de esta forma nos encontramos con el mundo de la *infancia* [7]:

---

   6. El crítico Pierre DARMANGEAT dijo en cierta ocasión: «A medida que el espectáculo de lo exterior se junta con el movimiento íntimo, el ángulo de vista se va modificando y el espectáculo cambia de forma.» (*Antonio Machado, Pedro Salinas, Jorge Guillén,* Madrid, Insula, 1969, p. 41.)
   7. El mundo de la infancia está íntimamente ligado al Machado de *Soledades y Galerías.* La infancia es para el poeta sevillano sinónimo de alegría, luz y color. Recordemos:
         Una clara noche
         de fiesta y de luna
         noche de mis sueños
         noche de alegría

8   —Si, yo era niño, y tú, mi compañera

Es de destacar el cambio de tono que repentinamente se hace *directo,* y es a partir de este momento cuando se produce lo que llamaremos el «desdoblamiento del yo» del poeta. Machado se dirigirá directamente a su dolor, a su angustia y conversará con ella a través del juego del YO con el TU.

$$YO \longleftrightarrow TU$$
$$\text{(poeta)} \qquad \text{(dolor)}$$

Del monólogo consigo mismo pasa al diálogo con su dolor. Necesariamente nos viene la siguiente duda: ¿cómo encajar esta angustia de su infancia cuando sabemos que para él significaba todo lo contrario? [8]. El mismo Antonio Machado nos da la clave en los versos 9 y 10 que encabezan la segunda parte —bajo la forma de silva arromanzada, modelo estrófico muy al gusto machadiano—:

9   Y no es verdad, dolor, yo te conozco
10   tú eres nostalgia de la vida buena

El panorama ha cambiado por completo. No es el dolor compañero de su infancia, sino *nostalgia* de ella

---

—era luz mi alma
que hoy es bruma todo,
no eran mis cabellos
negros todavía—.
            (LXV, *Sueño infantil,* Gal., p. 106.)
O bien: Galería del alma... ¡El alma niña!
Su clara luz risueña;
y la pequeña historia,
y la alegría de la vida nueva...
            (LXXXVII, *Renacimiento,* Gal., p. 118.)

8. Termina aquí esta primera parte de la composición de una forma muy ambigua, el planteamiento que el poeta establece necesita un cauce para desembocar que se lo va a dar las líneas siguientes. Incluso métricamente estos ocho primeros versos presentan rima consonante frente a los siguientes asonantados, una prueba más de que fueron gestados en momentos diferentes.

82

(«de la vida buena»)[9]. Nostalgia del pasado y soledad del presente:

11   y soledad del corazón sombrío,

Efectivamente, por estos años el poeta no es un adolescente, sino un hombre en la barrera de los treinta que tras perder el mundo edénico infantil —con las implicaciones de amor maternal que conlleva—, aún no ha encontrado con qué suplir ese vacío en su corazón. Vacío material que se acompaña de otro vacío muy importante también para el poeta: la ausencia de Dios, de la que hablaremos más adelante. Precisamente en 1907, cuando Machado llega a Soria y conoce a Leonor, cambia en parte su situación.

El cuarteto se cierra con un verso admirable:

12   de barco sin naufragio y sin estrellas.

Bella imagen que enlazará con los símiles siguientes. Su soledad es comparable a un barco que ha perdido el rumbo, que no sabe el camino para atracar en el puerto porque no tiene estrella que lo guíe. El corazón errante del poeta está perdido en la soledad del mundo. Barco = corazón, mar = soledad.

Pero, cosa curiosa, el poeta no cree que ese deambular sin rumbo le vaya a llevar a la deriva, ¡no!, porque su barco es «sin naufragio». El poeta de esta forma ha adoptado una actitud tranquila, no exaltada, sin gritos ni aspavientos, casi, diría yo, de honda resignación con su destino[10].

---

9. José María Aguirre ve en este refugiarse en la infancia una muestra más del romanticismo de Antonio Machado, pues según palabras textuales: «El romántico se refugia en el pensamiento de las antiguas alegrías infantiles, donde él aún se siente protegido.» (*Antonio Machado, poeta simbolista*, Madrid, Taurus, 1973, p. 251.)

10. Geoffrey Ribbans hace notar la influencia de Verlaine en la imagen del barco, «con la notable diferencia de que el barco machadiano no se ve amenazado por ningún naufragio:

> Lasse de vivre, ayant peur de mourir, pareille
> Au brick perdu jouet du flux et du reflux,
> Mon âme pour d'affreux naufrages appareille.»

(*Niebla y Soledad*, Madrid, Gredos, 1971, p. 277.)

La raíz profunda de esta angustia nos la muestra Machado en el último verso: Dios. Pero antes de arribar a esta explosión de emoción contenida a lo largo del poema, el poeta se va a comparar a un perro y a un niño. Sencillez y claridad son las notas más destacadas de estos versos. Sencillez por compararse a seres tan pequeños como pueden ser un perro o un niño; claridad por elegir para su expresión el lenguaje de la comparación, el más simple de los tropos.

Un perro sin sus dos grandes poderes: la huella y el olfalto, y un niño perdido en una noche de fiesta. ¿Habrá comparación más acertada para un alma angustiada por la búsqueda de Dios? Perro sin amo, niño sin padres, hombre sin Dios. La gradación es perfecta. La angustia que estos tres seres sienten es equivalente, pues se sienten igualmente indefensos y descorazonados.

En la primera de las comparaciones aparece otro de los elementos muy típicos en Machado: el caminante, en este caso es el animal el que va «por los caminos, sin camino» (v. 15) como aquel «caminante, no hay camino».

La cuarta estrofa recoge con límites precisos los elementos de las imágenes anteriores y nos da un pequeño retrato de sí mismo en ese preciso instante del acto creador mediante la combinación acertada de sustantivos y adjetivos. Analicemos uno por uno los apelativos que se apropia el poeta:

borracho: Palabra que lleva implícita la pérdida del equilibrio físico y por extensión también, en este caso, la pérdida del equilibrio moral.

melancólico: Machado es un hombre triste por naturaleza —ya confesaba en el v. 4 «mi usual hipocondría»—, pero también puede estar ocasionada la melancolía por la angustia que en este preciso momento le oprime.

guitarrista: Calificativo que podría relacionarse con su inclinación hacia el pueblo, es decir, como cantor de su pueblo.

lunático: Está en relación bien con su preferencia por los astros: las estrellas, la luna como telón de fondo de algunas poesías, o bien —más probable— que se considerase un poco «loco» por las ideas que exponía.

pobre hombre en sueños: Soñador es un adjetivo de acuerdo plenamente con su concepción poética en *Galerías*. Ya en la *Introducción* declaraba:

Leyendo un claro día
mis bien amados versos,
he visto en el profundo
espejo de mis *sueños*.

Todas estas características que Antonio Machado se ha ido dando encuentran receptáculo en una palabra: *poeta*. Mediante una sabia combinación de sustantivos y calificativos nos ha sido descrito un hombre que es esencialmente poeta: Antonio Machado.

Desembocamos por último en ese verso tan repetido por todos los comentaristas de la poesía machadiana:

24   siempre buscando a Dios entre la niebla.

Arduo problema éste de la búsqueda de Dios por Antonio Machado. ¿Es realmente a Dios objetivo a quien busca Machado o no? Los críticos en su mayor parte están de acuerdo en considerar que no es Dios concretamente a quien busca Machado, sino un asidero, algo que le sirva para llenar ese vacío de soledad en que se encuentra inmerso. Según Sánchez Barbudo:

«Su Dios era tan sólo el Dios del corazón». Es decir, anhelo de El. Y más adelante nos dirá Barbudo: «el Dios de Machado era el de los fideístas, pero de esos fideístas que empiezan por afirmar no la existencia objetiva de Dios, sino el ansia de El sentida en su corazón» [11]. Independientemente de que Machado crea o no en Dios, él siente ese *deseo* de Dios, lo necesita y por eso lo busca, pero ese buscar parece estar obstaculizado por una gran barrera: *la niebla* que lleva al poeta a dar muchas vueltas y a tantear a ciegas sin en definitiva dar con El. La niebla en este caso actúa como un tupido velo que impide la normal visión de las cosas. Años más tarde su visión de Dios será aún más desesperada y declarará abiertamente:

> El Dios que todos llevamos
> El Dios que todos hacemos
> El Dios que todos buscamos
> y *que nunca encontraremos.*

(C. de C., *Profesión de fe,* p. 212)

Quizá por eso Machado se denomine «pobre hombre en sueños», es decir, que tiene el sueño de Dios [12]. Sobre esta composición volvería a insistir Machado años más tarde —en 1937— por boca de Mairena en un ensayo sobre Heidegger, al decir que se adelantaba al filósofo de *Sein und Zeit* al dar la descripción de la autoconciencia del existir como una angustia previa a todo contenido [13].

El poema en su conjunto es un canto contenido del yo angustiado del poeta, las frases se deslizan

11. A. Sánchez Barbudo. *El pensamiento de Antonio Machado,* Madrid, Guadarrama, 1974, p. 37.
12. Aurora de Albornoz en *La Presencia...* distingue tres etapas en el pensamiento religioso de Machado: «La primera, muy vaga, muy nebulosa, el momento en que se busca a Dios entre la niebla y a la que correspondería este poema.» (P. 231.)
13. Tomado de José María Valverde. *Antonio Machado,* Madrid, S. XXI, 1975, p. 67.

silenciosamente desde el principio gracias a un juego de equilibrio perfecto entre sustantivos y adjetivos calificativos que añaden la nota precisa en cada momento, pero el poeta, que se siente atormentado, que está luchando una dura batalla con su dolor se vale de un recurso muy significativo para indicar esa distorsión: el encabalgamiento. En el quinto y el sexto cuarteto el encabalgamiento se apodera de los versos y se separan el complemento del verbo, el sustantivo del adjetivo, la conjunción (como) de la frase que encabeza, etc. La coherencia sintáctica es tan férrea que no permite la introducción de un tiempo respiratorio. Aún es más llamativo por tratarse de versos generalmente largos —de 11 sílabas— cuando lo normal es que el encabalgamiento se produzca en versos cortos que por su condición así lo exigen. Existe por tanto una intención explícita en el poeta de hacerlo de esta forma. Dentro, pues, de la apariencia serena de la composición, un hondo trastrueque se ha producido. El tono vuelve a normalizarse en la última estrofa hasta llegar al descenso final.

Estamos ante una poesía esencialmente machadiana, en ella vienen a coincidir los elementos primordiales que Machado maneja en *Soledades*. La tarde, única nota al mundo exterior, ambiente dilecto en Machado; la angustia y el poeta como doble versión de un solo ser: Antonio Machado; la infancia evocada a través de los recuerdos; sus pinceladas de retrato al describirse a sí mismo como hipocondríaco, melancólico, lunático y soñador; y ese fin último de su poesía: el ansia de Dios, hondamente sentida, con sencillez y sinceridad como todo lo que de él emanaba.

EL "RETRATO" DE ANTONIO MACHADO A TRAVES DE LAS FUNCIONES DEL LENGUAJE

por

ANTONIO RODRÍGUEZ ALMODÓVAR

Antes de analizar el famoso poema que abre *Campos de Castilla* interesan unas consideraciones de tipo general. Siempre obligadas (piensa uno para consolarse) cuando se trata de Antonio Machado, y como pidiendo disculpas no sabe bien por qué. Por la enormidad del atrevimiento, acaso. Por la incertidumbre, mejor, a la hora de poner en el papel, ordenadamente, los tantos y tan emocionados pensamientos como provoca la obra de Machado. Todavía más: por miedo a matar las emociones ésas de la inmediata percepción. Es (continúa uno creyéndose, con tal de no acercarse al ineludible compromiso del profesor de literatura —¡raro oficio!—) como ponerle letra a una música antigua; aquella que en secreto nos reconfortaba. Y luego hostigar a la razón, tan dulcemente adormecida (aunque no engañada) con el manso ruido del poema. Ocurre, sin embargo, que es así como podemos quedarnos definitivamente dormidos. Y la obra de Machado, Machado mismo, no nos lo perdonarían.

Ya en el prólogo que él le puso a *Campos de Castilla* en 1917 late la angustia, aun serenada por el recuerdo, del hombre que iba de paso entre la metafísica y la dialéctica, a requerimientos del pensador apócrifo que siempre llevó dentro el poeta. Que emergería al fin en las notables ficciones de Abel Martín y de Juan de Mairena. «Ya era, además, muy otra

91

mi ideología»[1]. Ya había caído en la cuenta de la vanidad del yo, que a fuerza de escarbar en sí mismo acaba perdiéndose por el agujero de una búsqueda tan enajenada. Y en la cuenta extrema: la falacia del llamado mundo exterior. ¿Dentro? ¿Fuera? «¿Seremos, pues, meros espectadores del mundo? Pero nuestros ojos están cargados de razón y la razón analiza y disuelve»[2]. Esto es lo malo. Que no podemos dejar de mirar, a menos que cerremos los ojos voluntariamente, y mirar —comprender lo de «fuera»— es analizar, que es disolver. Pero así, mediante este proceso que nos lleva continuamente de la comprensión a la disolución, es como se nos mantiene vívida la ambición de saber. Un saber, por tanto, que se compone principalmente de lo que no se sabe. Pronto lo veremos al estudiar el poema elegido. Ahora nuestra preocupación, derivada de todo lo anterior, es ésta: ¿arriesgaremos lo que creemos saber de ese poema sometiéndolo al análisis? Esperemos que algo quede, aunque sea lo no dicho:

«Déjale lo que no puedes
quitarle: su melodía
de cantar que canta y cuenta
un ayer que es todavía»[3].

*   *   *

Recordemos una vez más los célebres alejandrinos del «Retrato»:

1. Del prólogo a *Campos de Castilla*, página 47 de las obras completas, *Obras, poesía y prosa*. Ed. Losada, Buenos Aires, 1964. Citaremos siempre por esta edición.
2. Ib. ib.
3. *Nuevas canciones*. «Proverbios y cantares», LXXIX.

"Mi infancia son recuerdos de un patio de
[Sevilla,
y un huerto claro donde madura el limonero;
mi juventud, veinte años en tierra de Castilla;
mi historia, algunos casos que recordar no
[quiero.
5 Ni un seductor Mañara, ni un Bradomín he sido
—ya conocéis mi torpe aliño indumentario—,
mas recibí la flecha que me asignó Cupido,
y amé cuanto ellas puedan tener de hospitalario.
Hay en mis venas gotas de sangre jacobina,
0 pero mi verso brota de manantial sereno;
y, más que un hombre al uso que sabe su
[doctrina,
soy, en el buen sentido de la palabra, bueno.
Adoro la hermosura, y en la moderna estética
corté las viejas rosas del huerto de Ronsard;
5 mas no amo los afeites de la actual cosmética,
ni soy un ave de esas del nuevo gay-trinar.
Desdeño las romanzas de los tenores huecos
y el coro de los grillos que cantan a la luna.
A distinguir me paro las voces de los ecos,
0 y escucho solamente, entre las voces, una.
¿Soy clásico o romántico? No sé. Dejar quisiera
mi verso, como deja el capitán su espada:
famosa por la mano viril que la blandiera,
no por el docto oficio del forjador preciada.
5 Converso con el hombre que siempre va
[conmigo
--quien habla solo espera hablar a Dios un día--;
mi soliloquio es plática con este buen amigo
que me enseñó el secreto de la filantropía.

Y al cabo, nada os debo; debéisme cuanto h
[escrit
30   A mi trabajo acudo, con mi dinero pago
el traje que me cubre y la mansión que habitc
el pan que me alimenta y el lecho en donde yagc
Y cuando llegue el día del último viaje,
y esté al partir la nave que nunca ha de tornar
35   me encontraréis a bordo ligero de equipaje,
casi desnudo, como los hijos de la mar." [4]

En esta ocasión el método que vamos a aplicar
a nuestro análisis viene dado por la definición y la
enumeración de las funciones del lenguaje que hace
Roman Jakobson en sus *Essais de linguistique géné-
rale* [5]. Tomaremos el poema de Machado en su primera condición de texto, y trataremos de probar, siguiendo la teoría de aquel autor, que no existe, *a
priori,* nada que distinga cualitativamente un texto
cualquiera de un texto poético, sino que lo poético
es una función que puede predominar en determina-
das comunicaciones lingüísticas a las que, de modo
convencional, llamamos literarias. «On entend parfois
dire que la poétique, par opposition a la linguistique,
a pour tâche de juger de la valeur des œuvres litté-
raires. Cette manière de séparer les deux domaines
repose sur une interpretation courante mais erronée
du contraste entre la structure de la poésie et les
autres types de structures verbales» [6]. Afortunadamen-
te, Machado, que en cuestiones de poética se adelantó
a muchos logros de las teorías más recientes (algo
muy similar a lo que ocurre en Francia con Paul
Valéry), viene a apoyar lo mismo en un texto de Abel

4. *Campos de Castilla.* Op. cit. XCVII, pág. 125.
5. I, París, 1963.
6. Op. cit. pág. 221.

Martín: «Entre la palabra usada por todos y la palabra lírica existe la diferencia que entre una moneda y una joya del mismo metal. El poeta hace joyel de una moneda. ¿Cómo? La respuesta es difícil... al poeta no le es dado deshacer la moneda para labrar su joya... Trabaja el poeta con elementos ya estructurados por el espíritu, y, aunque con ellos ha de realizar una nueva estructura, no puede desfigurarlos» [7]. El criterio no puede resultar más moderno, si hasta de estructuras habla. En lenguaje técnico, añade Jakobson: «La diversité des messages réside non dans le monopole de l'une ou l'autre fonction, mais dans les différences de hiérarchie entre celles-ci. La structure verbale d'un message dépend avant tout de la fonction prédominante» [8]. La poética, pues, no es sino una especialidad de la lingüística, y no separada de las demás especialidades, sino en una relación de predominio sobre ellas, cuando hay motivos para pensar que en un texto predomina a su vez la función poética, de la que hablaremos. «En résumé, l'analyse du vers est entièrement de la compétence de la poétique, et celle-ci peut être définie comme cette partie de la linguistique qui traite de la fonction poétique dans ses relations avec les autres fonctions du langage» [9].

Esas funciones del lenguaje, por el orden que las define el autor ruso, son:

referencial (o denotativa)
emotiva (o expresiva)
conativa (a veces llamada imperativa)
fática
metalingüística
poética (o estética)

Las tres primeras pertenecían ya a la teoría de

7. Op. cit. CLXVII, «Abel Martín», pág. 308.
8. Op. cit. pág. 214.
9. Op. cit. pág. 222.

K. Bühler. Las restantes son una aportación de Jakobson, aunque para la cuarta toma la terminología de Malinowski.

En cuanto a la correspondencia entre el sistema de los elementos que intervienen en el acto de la comunicación y sus respectivas funciones, sería así:

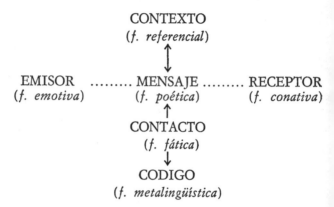

CONTEXTO
(*f. referencial*)

EMISOR .... MENSAJE .... RECEPTOR
(*f. emotiva*)   (*f. poética*)   (*f. conativa*)

CONTACTO
(*f. fática*)

CODIGO
(*f. metalingüística*)

Definiremos cada una de las funciones conforme las vayamos aplicando al análisis.

Antes hemos de manifestar que nuestro punto de vista pretende llevar un poco más lejos la teoría de Jakobson, cuando la apliquemos a un hecho literario. Nos parece advertir, en efecto, que en cada una de las funciones distintas de la función poética existe al menos la posibilidad de que adquiera una función poética secundaria en la estructura del poema. No en vano se admite que todo elemento del discurso está en relación con los de su mismo nivel y, lo que aquí nos importa, con la totalidad misma del sistema. Si el sistema, en nuestro caso, está dominado por la función poética, quiere decirse que todos los demás elementos tendrán una función poética secundaria: la que le da su relación con la totalidad.

El poema alcanza así un dinamismo interno producido por la multiplicidad de relaciones (funciones) que se dan, primero, entre los elementos; segundo, entre cada uno de éstos y la totalidad, a través de la función predominante, que es, repetimos, la función poética. Esta combinatoria dejaría en el esquema un entrecruzamiento de líneas excesivamente complejo, pues hay que tener en cuenta que cada uno de los elementos que constituyen cada una de las seis funciones de Jakobson (se podrían añadir otras funciones de otras teorías) se relaciona en cinco sentidos diferentes, más su relación con la totalidad poética. Pero como ésta, antes que poética es significativa, puesto que pertenece a un texto, multiplica por dos a todas las funciones, de donde se deduce que, en el interior del poema, todo lo significativo es poético, y viceversa. La más humilde aliteración significa algo; por ejemplo, que estamos ante un texto poético.

No se crea con todo esto que identificamos la tan problemática «esencia de la poesía» con una inextricable red de funciones. Pero sí tiene que ver con el cambio cualitativo que opera la acumulación misma de funciones a partir de un determinado nivel: el nivel en que cada elemento adquiere, como por añadidura, una función poética secundaria no prevista por el sistema de la lengua.

En nuestro análisis es claro que no podremos formalizar todas y cada una de las funciones de todos y cada uno de los elementos, lo cual a buen seguro llenaría un voluminoso tomo, y no precisamente parco en «odiosas» representaciones matemáticas. Tan sólo apuntaremos un camino para que mejor se comprendan la teoría y el método y, desde luego, para asomarnos siquiera a la turbadora grandeza de la poesía de Antonio Machado.

* * *

FUNCION REFERENCIAL

Es la que trata de la «orientation vers le contexte» [10]. Dicho de otra manera, la relación entre el texto y aquello a lo que se refiere.

Al ser nuestro poema un autorretrato, la referencia y el referente (el concepto y la cosa) tienden a confundirse, pues el poeta trata de comprender, describiéndola, la imagen que tiene de su *yo* vivo. La relación sigue entonces un camino que no sabemos si va del poeta al hombre o del hombre al poeta. En otras palabras: ¿quién describe a quién? ¿Puede un hombre describirse a sí mismo poéticamente sin llegar a un resultado que no sea poético acerca de su *yo?* Sin embargo, este inútil empeño por alcanzar una imagen humana es lo que justifica el desarrollo del poema. Por eso, para que el poema parezca que se acerca a lo vivo, está dotado de un «marcado acento temporal», que ya estudiaremos, según la preceptiva del propio poeta: «El poema que no tenga muy marcado el acento temporal, estará más cerca de la lógica que de la lírica» [11].

Recordemos, por otra parte, las dudas que Machado manifiesta en el prólogo antes aludido acerca de la dualidad *yo/el mundo,* ahora con sus palabras: «Si miramos afuera y procuramos penetrar en las cosas, nuestro mundo externo pierde en solidez, y acaba por disipársenos cuando llegamos a creer que no existe por sí, sino por nosotros. Pero, si, convencidos de la íntima realidad, miramos adentro, entonces todo nos parece venir de fuera, y es nuestro mundo interior, nosotros mismos, lo que se desvanece. ¿Qué hacer, entonces? Tejer el hilo que nos dan, soñar nuestro sueño, vivir; sólo así podremos obrar el milagro de la generación. Un hombre atento a sí mismo y pro-

---

10. Jakobson, op. cit. pág. 214.
11. CLXVIII, pág. 315. «El 'arte poética' de Juan de Mairena».

curando auscultarse ahoga la única voz que podría escuchar: la suya; pero le aturden los ruidos extraños. ¿Seremos, pues, meros espectadores del mundo?» [12]. Aquí enlaza la cita con el fragmento que ya habíamos destacado: «Pero nuestros ojos están cargados de razón, y la razón analiza y disuelve». Este «doble espejismo» (con palabra suyas también, unas líneas más arriba) de creer que lo de dentro es fuera y lo de fuera dentro, ¡qué dramática complicación no tendrá en el interior de una mente que quiere verse en su propio espejo! Se trata, a no dudarlo, de una recíproca devoración: la del *yo* vivo contra el yo poético. ¿Quién ganará? En el poema, claro está, el *yo* poético. En la vida, Antonio Machado Ruiz, ajustando sus actos a su pensamiento. Esto último, por desgracia, se sale hoy de nuestro cometido.

Ahora comprendemos mejor esta parte de la cita que tantas cavilaciones ha provocado: «Tejer el hilo que nos dan, soñar nuestro sueño, vivir». Una de las muchas contradicciones aparentes de Machado. No se entiende a primera vista por qué soñar es igual que vivir (aunque nuestra tradición literaria, con un punto culminante en Calderón, puede facilitarnos la tarea, si bien en Machado es el sueño lo que se iguala a la vida, y no al revés). Porque lo que la mente cree entender es pura ilusión, idealismo, que algo se encarga de ir destruyendo continuamente, y continuamente, por tanto, vivimos como soñando. Esta idea la expresó Machado infinidad de veces, pero acaso ninguna con la brutal sencillez de cuando Abel Marín dice, como sentencia que su buen humor quiere clásica: «el ser y el pensar no coinciden, ni por casualidad» [13]. Pero no hay que angustiarse con los espejismos de las ideas que se creen objetos, pues ello significa que la vida va por otro camino, aun impre-

12. Del prólogo a *Campos de Castilla,* pág. 47.
13. CLXVII, pág. 309.

visto, más seguro que ninguno de los que se puedan pensar:

«Confiamos
en que no será verdad
nada de lo que pensamos» [14].

La angustia, en verdad, es por salir de este sueño inacabable («después soñé que soñaba» [15]). Y salir, en primer lugar, al encuentro de sí mismo, que es la razón de ser más profunda del poema. Entretanto, Machado ha descubierto que el laberinto de espejos de nuestra mente, nuestro *yo,* demuestra algo proverbialmente simple: que es imposible ser uno. Es la lógica vacía del pensamiento, de la mano de Kant y de Leibnitz, precisamente lo que nos permite creer que si allí todo es posible, claro, idéntico a sí mismo, quiere decir que todo allí es mentira. De esta forma llegó Machado al consolador descubrimiento de la otredad, perfectamente dicha en el poema: «Converso con el hombre que siempre va conmigo [mi otro *yo*] / —quien habla sólo espera hablar a Dios un día—; [está seguro de que hay una trascendencia de ese *yo,* aunque no obtenga respuesta, pues obsérvese que dice «hablar *a Dios»,* no *con* Dios] / mi soliloquio es plática con este buen amigo [el otro *yo* de mi soledad, el *yo* pensado] / que me enseñó el secreto de la filantropía» [gracias al cual descubrí que no estoy solo, a menos que me niegue a lo otro: a los demás, por ejemplo]. La estrofa es enteramente análoga a la no menos célebre de Machado:

Busca a tu complementario
que siempre marcha contigo
y suele ser tu contrario [15].

---

14. Ib. ib. Es también la parte final del proverbio XXXI de *Campos de Castilla.*
15. Proverbio XV de *Nuevas Canciones.* Op. cit. pág. 255.

y que redondea el pensamiento en el sentido de que aquello que nos falta suele estar más cerca de lo que creemos, pero con la necesaria proximidad de lo que nos niega.

La imagen del *yo* es multiplicada por sus dos espejos fundamentales y enfrentados (el *yo* pensado —imaginario, poético—, frente al *yo* vivo; sólo que ambos pensados; sólo que ninguno vivo) en una serie teóricamente infinita. De ellas, Machado elige las siguientes:

A. El que fue (vv. 1-8; 2 estrofas)
B. El que es (vv. 8-32; 6 estrofas)
C. El que será (vv. 32-36; 1 estrofa)

Tres zonas que a su vez se descomponen:

A.1 Machado $\begin{cases} \text{niño (vv. 1-2)} \\ \text{joven (v. 3)} \\ \text{maduro («mi historia...», v. 4)} \end{cases}$

A.2 Machado amante

B.1 Machado ético (vv. 9-12; 1 estrofa)
B.2 Machado poeta (vv. 13-24; 3 estrofas)
B.3 Machado filósofo (vv. 25-28; 1 estrofa)
B.4 Machado cotidiano (vv. 29-32; 1 estrofa)

C Machado premonitorio (vv. 33-36; 1 estrofa)

Destaca el hecho de que el Machado que de verdad preocupa al poeta es el presente, lo cual, incluso desde el punto de vista gramatical, podría inducir a la errónea impresión de que Machado se sale del tiempo para abstraerse a sí mismo. Claro que lo hace, porque no tiene más remedio si quiere verse de alguna manera («la mutabilidad de lo real no tiene expresión posible en el lenguaje»)[16]. Pero nótese que todos los presentes de la zona central del poema, y la más extensa, no hacen referencia a época alguna, más que por alusión; es decir, son los llamados presentes intemporales, en los que el tema obliga a pensar que expresan el resultado de una experiencia histórica, vital, muy compleja. A excepción, y esto resulta altamente curioso, de la experiencia amorosa, que está contada en pasado, como restándole importancia —y el tono de ironía lo confirma—. Más curioso aún: dentro del presente intemporal, le preocupa al poeta precisamente el Machado poeta (3 estrofas), con lo que se confirma la teoría de los espejos.

Muy notable también la absoluta ausencia del Machado que a nosotros nos parecería más real: el anecdótico. Ha sido eliminado por completo («mi historia, algunos casos que recordar no quiero»), pues así es más potente, aunque resulte paradójica, la impresión de un tiempo vivido, en la experiencia asumida como totalidad. De haber contado algunas anécdotas, toda la construcción se habría venido abajo, y lo intemporal parecería consolidación frente a la fragilidad de las cosas pequeñas. Nada de esto. Machado sabe que la mejor forma de expresar la pura fluidez de lo real no es hacerle la competencia en su dominio, pues lo real siempre será mucho más fluido que todos los recursos gramaticales y estilísticos que se empleen; sino refugiándose, por así decirlo, en lo más parecido a lo sin tiempo. La prueba de que esta intemporalidad de los presentes gramaticales del poema no intenta reflejar un saber aprendido e inmutable, es la estrofa final: «Y cuando llegue el día del último viaje...»; especialmente el último verso: «casi desnudo, como los hijos de la mar». No es una referencia a la pobreza material, como a veces se ha creído, pues ello sería tomar como concreto parte de un símbolo

16. Abel Martín en CLXVII, pág. 301.

que es toda la imagen de la nave. «Me encontraréis a bordo», es decir, preparado para entrar por fin en la fluidez absoluta, «desnudo», desprendido de todas las adherencias terrenales (las materiales también, ¿por qué no?), «como los hijos [siempre fui uno de ellos] de la mar». El mar de Machado, símbolo de la inmensidad de lo desconocido, camino sin caminos, siempre distinto, siempre otro.

Se entiende así un poco mejor el carácter simbólico y abstracto del poema y, en general, de toda la poesía de Machado. Símbolos, alusiones, comparaciones, metáforas, perífrasis... esquivando todo vano intento de nombrar la realidad, que es, por principio, innombrable. Pero no para huir de ella, sino todo lo contrario, para alumbrarla por contraste en el silencio de la mente. Huir, en cambio, del «consabido espejo de lo real, que pretende darnos por arte la innecesaria réplica de cuanto no lo es» [17]. Por eso los acontecimientos biográficos son «casos que recordar no quiero» (v. 4); el amor es «la flecha que me asignó Cupido» (v. 7); la pureza sosegada de su poesía, «manantial sereno» (v. 10); el Modernismo, «moderna estética» (v. 13) y «nuevo gay-trinar» (v. 16); la muerte, «el último viaje» (v. 33), etcétera.

Las designaciones directas (denotaciones) son en cambio sólo cuatro, y hábilmente distribuidas en el espacio y en el sentido del poema:

v. 2   «un patio de Sevilla» (sentido material)
v. 12   «soy... bueno» (sentido moral)
v. 21   No sé si soy clásico o romántico (sentido
         poético)
v. 29   «nada os debo» (sentido social),

seguramente para aliviar un poco la etérea pesadez del símbolo.

---

17. «El 'arte poética' de Juan de Mairena», CLXVIII, pág. 319.

Ahora bien, aquella sobreabundancia de significaciones indirectas, exige del crítico la penosa tarea de reducir el poema al lenguaje pretendidamente más directo que sufrimos los demás mortales. Con un objetivo primordial: evitar en lo posible las temidas ambigüedades que se han creado en torno a la poesía de Antonio Machado, por aquello de que, como es simbólica, se «interpreta» como se quiere, y al autor, para que no proteste, lo convertimos en ídolo, lo subimos por encima de lo que dijo, que es como si nada hubiera dicho. Así las cosas, el poema, en ese otro lenguaje de los que nos creemos despiertos, sería más o menos lo siguiente:

Mi infancia son [sólo] recuerdos de un patio
de Sevilla
y un huerto claro donde madura el limonero;
mi juventud [muchas cosas ocurridas en]
veinte años en tierras de Castilla,
mi historia, algunos casos [entre muchos]
que recordar no quiero.

5 Ni un seductor [arrepentido y místico] Mañara, ni un Bradomín [feo, católico, sentimental] he sido
—ya conocéis mi torpe aliño indumentario—
[—ya sabéis que no resulto muy atractivo—]
mas recibí la flecha que me asignó Cupido
[me enamoré, sin embargo]
y amé cuanto ellas pueden tener de hospitalario
[me dejé querer por ellas, buscándolas más bien como un refugio]
Hay en mis venas gotas de sangre jacobina,
[tengo algo de revolucionario exaltado y radical]

10 pero mi verso brota de manantital sereno,
[pero mi poesía se produce ya purificada y tranquila]

y, más que un hombre que sabe su doctrina
[un doctrinario irreflexivo]
soy, en el buen sentido de la palabra, [ustedes
               perdonen la inmodestia] bueno.

13-16   Adoro la hermosura... gay-trinar: [no desdeño la pureza de estilo y los valores poéticos
del lenguaje, tan antiguos como Ronsard, pero
me desagradan las exageraciones esteticistas a
la moda francesa]

17-20   Desdeño las romanzas... a la luna: (más o
menos como lo anterior).
A distinguir me paro las voces de los ecos,
y escucho solamente, entre las voces, una: «y
aun pensaba que el hombre puede sorprender algunas palabras de un íntimo monólogo,
distinguiendo la voz viva de los ecos iner-
tes» [18]. «Un hombre atento a sí mismo y pro-
curando auscultarse ahoga la única voz que
podría escuchar: la suya; pero le aturden los
ruidos extraños» [19].

¿Soy clásico o romántico?... del forjador
preciada: [No sé, ni me preocupa, qué categoría poética se me podría asignar. Pienso
que el poeta no debe pasar por su destreza
en el oficio, sino por la solidez y el empuje
de su intención].

25   Converso con el hombre... filantropía: (esta
estrofa ya ha sido glosada).

29-32   Y al cabo nada os debo... yago: [y tened
en cuenta que escribo, no por dinero, puesto
que mi vida cotidiana me la pago yo. Que
sois vosotros, por tanto, los que me debéis
mi poesía].

---

18. Del prólogo a *Soledades*. Pág. 47.
19. Del prólogo a *Campos de Castilla*. Pág. 47.

33-36   Y cuando llegue el día... mar: (ya ha sido también glosada).

Nos queda un último aspecto de la función referencial, y es el tratamiento que tiene en el poema la conocida metafísica del No-Ser de Machado, o de la esencial heterogeneidad del ser, de Juan de Mairena. Decíamos al principio, y luego lo hemos vuelto a aludir, que, en definitiva, todo lo que sabemos está compuesto más bien de lo que no sabemos, pues que la mente vive un sueño, un espejismo negado a todas horas. Obsérvense las múltiples negaciones y correcciones que hay en el texto: «casos que recordar *no* quiero», «*ni* un seductor Mañara *ni* un Bradomín», «hay en mis venas ... *pero*», «*mas* no amo los afeites», «desdeño» = no estimo, «clásico o romántico = no sé, «*no* por el docto oficio», «*nada* os debo», «ligero de equipaje» = casi sin nada, «casi desnudo».

* * *

FUNCION EMOTIVA

Es, en la definición de Jakobson, la que manifiesta «une expression directe de l'attitude du sujet à l'égard de ce dont il parle» [20], esto es, la relación entre el sujeto (autor) y aquello de lo que habla. Por eso se la llama también «expresiva», y es típica, en el lenguaje cotidiano, de las exclamaciones. En el lenguaje poético puede alcanzar otros niveles más altos de expresión, y digamos que está presente siempre que hay cambios de tonalidad en los recursos del estilo, tales como una inesperada ironía, una pregunta que se hace a sí mismo el autor, la insistencia en la primera persona gramatical (que en nuestro poema es casi absoluta), etc. Hay que advertir que,

20. Op. cit. pág. 214.

a partir de esta función, se vuelven mucho más borrosos los límites con las demás; muchas veces parecerá que un rasgo pertenecería mejor a la función conativa o estética; esto, lejos de suponer un obstáculo para la teoría del método, la confirma, pues ya vimos que la función poética, como totalidad, hacía posible la permeabilidad de las demás funciones entre sí. Quiere decirse que el contacto entre las funciones no estrictamente poéticas se establece a través del carácter poético secundario que tienen todas ellas en el interior del poema. Así, pues, si un rasgo puede parecer indistintamente emotivo o conativo, por ejemplo, es porque el sentido poético del texto acerca tanto al emisor y al receptor de la comunicación, que casi los confunde.

Creemos que los rasgos más concretos de esta función emotiva son los siguientes:

— v. 4 «mi historia, algunos casos que recordar *no quiero*». El poeta prescinde voluntariamente de las anécdotas no gratas de su vida, con lo cual crea una relación de misterio entre él y su texto que, necesariamente, se transmite al lector, y que era tal vez lo que se buscaba. Machado imita de esta forma la actitud de Cervantes al comienzo del Quijote, como forma de consolidar el efecto.

— v. 12 «Soy, en el buen sentido de la palabra, bueno». He aquí uno de esos cambios de tonalidad a los que antes nos referíamos. Se trata sin duda de una manera de disculparse, mediante el humor de una expresión paradójica, por autocalificarse de bueno. Resulta extraordinaria la sagacidad de Machado: es también en el Quijote, y por boca del propio hidalgo en el momento final de su arrepentimiento, donde aparece una expresión que despierta ecos muy similares a los de Machado, pues tiene en éste algo también de recapitulación: «Fui don Quijote de la Mancha, y soy agora, como he dicho, Alonso Quijano el Bueno»[21]. Pero el resultado conativo del efecto no debe hacernos perder de vista cómo se ha originado la expresión: avergonzándose el autor por lo que iba a decir.

— v. 21 «¿Soy clásico o romántico?», [me pregunto a mí mismo]. Momento de vacilación personal, aunque, al igual que en los casos anteriores, tiende a llamar nuestra atención mediante el tono interrogativo.

— v. 27 «mi soliloquio es plática con este *buen amigo*», otra vez la delicada ironía de llamarse *bueno,* aunque sea en su otro *yo.*

Finalmente, toda la última estrofa, por la impresionante valentía (y la honda vibración personal) que revela el enfrentamiento con el tema de su propia muerte, sin perder el talante poético y todos los demás, que hacen de esta última estrofa una apretada confluencia de todas las funciones del lenguaje en el punto final, y el más significativo, de la comunicación poética.

* * *

FUNCION CONATIVA

Es la que expresa, según Jakobson, la «orientation vers le destinataire»[22]; se ocupa, por tanto, de las relaciones entre el texto y el receptor, en nuestro caso, entre el texto poético y el lector. No será difícil admitir, aun *a priori*, que se trata de una función muy extendida en el poema, por no decir total. La razón es obvia: todo poema, por el mero hecho de serlo,

---

21. «Don Quijote», II, LXXIV.
22. Op. cit. pág. 216.

es decir, por producirse de modo gratuito (nadie, por fortuna, ha probado aún que la poesía sea necesaria), ha de reclamar la atención del lector con mucha mayor fuerza que cualquier otra comunicación lingüística. Sobre todo, desde que la poesía perdió su acompañamiento musical, que le fue útil a este respecto durante siglos, y no digamos desde que se fue desnudando y perdiendo hasta «los caireles de la rima», para quedarse en la pureza extraña del verso libre. Vano empeño, pues, tratar de deslindar exactamente la función conativa de un texto, de la poética y aun de la fática. Difícil sería decidir cuál de las tres es la que se manifiesta a través de la rima, del ritmo, de la musicalidad dentro del verso, etcétera. Claro que si se trata de una rima excesivamente intensa al oído, estaremos sin duda frente a una manifestación de la función conativa, ya que la poética y la fática habrán quedado con seguridad destruidas por exceso de eufonía y de consolidación, respectivamente. Y si la rima es muy marcada (pongamos asonante en vocales graves o variando con mucha frecuencia), habría que dejar su estudio para la función poética (estética). En todo esto, se dirá, interviene poderosamente la época, con sus gustos particulares y, por supuesto, la diferente educación del público. De ahí que, en definitiva, todas las funciones del lenguaje se reduzcan a dos: la función histórica y la función social. Pero esto convierte a la literatura misma en una pura función que varía constantemente a lo largo del tiempo y del espacio, y cuya discusión nos llevaría demasiado lejos.

En el poema que nos ocupa vamos a considerar los aspectos rítmico-formales dentro de la función estética, por hallarse en unos módulos de gran tradición poética, tales como el verso alejandrino y la rima consonante distribuida en serventesios. En algunos casos, tales como la poesía en verso libre, creemos que los efectos rítmicos, ya sean formales o no, deben reservarse al estudio de la función fática, pues sólo ellos garantizan que se trata de poesía y no de prosa, de modo que si desaparecen, desaparece la función lírica, que es entonces primordial dentro de la poética.

En cuanto a la función conativa, que es la que ahora estamos tratando en particular, la vemos casi de forma exclusiva en las diversas apelaciones que nos dirige el poeta a través de la segunda persona del plural:

— v. 6 «—ya *conocéis* mi torpe aliño indumentario—», mediante lo cual el poeta busca nuestra aprobación a lo que dice, incluso recurriendo a la intimidad del aparte, manifestada en los guiones.

— v. 29 «Y al cabo nada *os debo*;». Toda esta estrofa, de hecho, corresponde casi por entero a la función conativa. El lector se siente realmente sacudido por una manifestación tan clara de independencia del poeta frente a nosotros, justo cuando el poema se está acabando, y ya no podemos volver atrás en la satisfacción que, como un regalo, hayamos podido sentir.

— v. 35 «Me *encontraréis* a bordo, ligero de equipaje»; también aquí toda la estrofa entra de lleno en la función que nos ocupa, pues nos convierte en testigos de la máxima pureza del poeta, y nos emplaza para tan solemne y decisiva ocasión. Hasta el punto, se diría, de sentirnos oscuramente culpables por no haber estado allí.

Otros rasgos de menos entidad podrían ser tenidos en cuenta, siempre a expensas de algo que llama fuertemente la atención. Por ejemplo, «gotas de sangre jacobina» (v. 9), «hablar a Dios un día» (v. 26), y quizás los primeros versos, que evocan un patio, un huerto y un limonero que podrían pertenecer al recuerdo de todos nosotros.

* * *

FUNCION FATICA

Es la que sirve «à vérifier si le circuit fonctionne, à attirer l'attention de l'interlocuteur ou à s'assurer qu'elle ne se relâche pas» [23]. Es típica del lenguaje coloquial, o del lenguaje literario cuando remeda sus muletillas, sus palabras vacías, pero de un efecto seguro contra la relajación del interés. Es el éxito de la comunicación en cuanto tal, el que se lleve a cabo, lo que preocupa a esta función, a la que normalmente no se suele prestar mucha atención, y menos tratándose de un texto literario. Ya expusimos nuestro criterio de que, al menos, desde cierto punto de vista, todos los recursos rítmicos podrían entrar en el campo de la función fática, y de hecho entran, sólo que la función poética suele preponderar sobre los mismos efectos. En épocas primitivas, cuando el público no contaba con la escritura para memorizar un texto poético, seguramente la rima, y la acentuación, etc., tenían como principal misión, por encima de toda intencionalidad estética, la de facilitar aquel aprendizaje.

A Machado le preocupaba mucho que no se rompiera el vínculo entre los efectos musicales, estéticos en general, y aquello que el poema decía, el contenido; preocupación que no es sino del orden que estamos tratando. Que no se rompa la comunicación, esto es lo principal, si bien se mira, pues de lo contrario nada se ha dicho. Lo que ocurre es que suele ser una función que apenas se distingue en los buenos poetas, quienes consiguen asimilarla a la función es-

---

23. Jakobson, op. cit. pág. 217.

111

tética, y en cambio muy notoria, hasta el punto de destacar por encima de esta última, cuando el poeta no domina bien su oficio. Y entre los dos extremos, toda una gama de posibilidades intermedias.

Se nos permitirá recordar ahora el caso de Manuel, el hermano mayor de Antonio Machado, cuando analizamos su poema «Prólogo-epílogo» en una ocasión similar a ésta [24]. Allí, al analizar los componentes rítmicos, veíamos la extraordinaria utilización de todos los tipos de alejandrinos que existen, hasta el punto de que se rompía, por la variedad misma, cualquier tipo de relación con el proceso del sentido del poema. Ninguna sistematización, por pequeña que fuera, en el uso del verso de moda. Lo cual quería decir —y el hecho de que abundaran los alejandrinos a la francesa lo confirma— que al poeta no le preocupó más que seguir aquel cierto parnasianismo de su inspiración, creyendo era la mejor manera de convencer al público de su tiempo. El tiempo, sin embargo, ha transcurrido, y es difícil hoy gustar de aquel puro artificio. Por eso, si hoy aplicáramos al poema de Manuel Machado la metodología de las funciones del lenguaje, a no dudarlo incluiríamos la métrica como parte del estudio de la función fática.

Muy distinto es el caso de Antonio, como ya veremos, y por ello dejamos para la función estética el análisis de los diversos ritmos de su «Retrato». Falta apuntar que el contraste entre los dos hermanos se vuelve mucho más agudo teniendo en cuenta que también el poema de Manuel era de carácter autobiográfico, con lo que puede significar de absoluta disparidad en el enfoque y en la intención, más allá de los procedimientos técnicos. Pero esto nos llevaría muy lejos. El lector interesado puede verificarlo por sí mismo.

Poca cosa, pues, puede decirse del cometido de

24. «Análisis estructural de 'Prólogo-Epílogo'», en *Doce comentarios a la poesía de Manuel Machado*. Universidad de Sevilla, 1975.

esta función en el poema de Antonio, lo cual es seguramente uno de los mayores elogios que se le podrían hacer. Apenas un recurso que, para mayor grandeza, tiende a pasar desapercibido: los morfemas gramaticales que se refieren al campo semántico del *yo* (principalmente verbos en primera persona y el posesivo *mi*), muy abundantes en el texto, claro está, aseguran la relación entre el título y el desarrollo del poema. Esto es una forma de asegurar la atención del lector, no hablándole de otras cosas que pudieran distraer su atención principal. La habilidad en distribuirlos de modo que no cansen —lo que sería un medio de conseguir el efecto contrario—, ha de combinarse, por si fuera poco, con la renuncia al empleo de un tercer morfema, el pronombre *yo,* que no aparece ni una sola vez, cuando podría haberlo hecho con tanta facilidad, dado que se trata precisamente del *yo* de lo que se está hablando. La modestia del hombre vence así a las necesidades del poeta, quien no por eso deja de encontrar la forma, técnicamente posible, de interesarnos en ese mismo hombre.

* * *

FUNCION METALINGÜISTICA

Aparece «chaque fois que le destinateur et/ou le destinataire jugent nécessaire de vérifier s'ils utilisent bien le code» [25]; en otros términos, cuando el lenguaje habla acerca del lenguaje. En un texto poético no suele aparecer, pues es insólito, por ejemplo, discutir cuestiones gramaticales en verso. Pero no es tan insólito que se traten cuestiones de poética en un poema, que es lo que precisamente hace Machado. Y la poética no deja de ser un código, aunque variable. No mucho más, pensamos, de lo que pueda serlo la len-

25. Op. cit. págs. 217-218.

gua. Ha habido momentos históricos en los que el código lingüístico ha evolucionado más aprisa que el poético; prácticamente a todo lo largo de nuestra Edad Media. Luego, en los Siglos de Oro, ambos tendieron a encontrar un punto de equilibrio, lo cual daría explicación posiblemente a muchos fenómenos literarios desde el punto de vista de la lengua, y viceversa, en una época de consolidación y de inmediato resquebrajamiento en tantos aspectos de la vida nacional. En el XVIII, pensamos, otra vez el código de la lengua tomó la delantera, y ello explicaría también la palidez de nuestras letras neoclásicas, aunque no diremos por esto que faltas de interés desde otros puntos de vista. Por último, desde el XIX, la solidez de la estructura de nuestra lengua permitió a la poesía atemperarse o desprenderse de ella, con una libertad tan acelerada que, ya en nuestro siglo, se llegó en poesía más de una vez, con los vanguardismos, casi a lo ininteligible.

En varias ocasiones, a lo largo de este estudio, nos hemos referido a la gravedad con que Machado se planteaba las cuestiones de su oficio, de modo que, según vimos y analizamos también, el *yo* que el poeta acaba describiendo es el propio poeta. Se pensaría que al menos debía haber quedado en un plano no tan elocuente como el de esas tres estrofas, nada menos, que le dedica. Pero esto sería no entender a Machado. En fin, no vamos a repetir ahora lo que ya dijimos en el análisis de la primera función, ni tampoco el sentido real que tienen las imágenes a través de las cuales Machado define su posición estética. Se trata, por consiguiente, de una función a la que no hemos tenido más remedio que acudir en diversas ocasiones anteriores. Vano y fatigoso sería reincidir aquí.

Un detalle quizás —¡siempre los pequeños secretos de Machado al lado de su grandeza!—, que nos pondría ya en camino de la función siguiente y última. Nos referimos a las imágenes y a las metáforas, algunas de ellas humorísticas («las romanzas de los tenores huecos», «el coro de los grillos», etc.), que sirven para tratar el tema no directamente, como en los demás casos del poema. Pero aquí con doble valor: uno, el normal de la intención simbólica del poeta, que ya hemos tratado; otro, el de evitar hablar de poética en los términos fríos y poco poéticos de esta ciencia.

* * *

FUNCION POETICA

También llamada «función estética» por otros autores, es la que pone en relación al mensaje consigo mismo. Con palabras del antiguo formalista ruso: «La visée du message en tant que tel, l'accent mis sur le message pour son propre compte, est ce qui caractérise la fonction poètique du langage» [26]. Y añade: «toute tentative de réduire la sphère de la fonction poètique à la poésie, ou de confiner la poésie à la fonction poètique, n'aboutirait qu'à une simplification excessive et trompeuse» [27], criterio que nos sirve para confirmar la exposición teórica del principio.

Se comprenderá la amplitud y la calidad de los elementos que intervienen en esta función cuando, a más de la que le corresponde desde el punto de vista de la comunicación lingüística, un texto posee «aspiraciones», por así decirlo, de comunicación poética extraordinaria, en virtud de la utilización de ciertos recursos considerados con ese carácter extraordinario. Se trata, en suma, de todo aquello que tiende a justificar el mensaje por su propia existencia, prescindiendo idealmente de todos los demás componentes del acto de la comunicación. Así, la recreación, la

26. Jakobson, op. cit. pág. 218.
27. Ib. ib.

repetición de efectos que podrían ser perfectamente ignorados por el referente, o por el lector; incluso por el autor mismo, habida cuenta de que en la composición de un poema actúan siempre algunos elementos incontrolados, como corresponde al principio de inmanencia que está en la base textual.

La mayoría de los elementos que ya hemos descrito por su cometido en otras funciones, deberían ser tratados aquí de nuevo. La incomodidad del esfuerzo nos induce a no provocar la consiguiente fatiga en el lector. Baste considerar el caso, principalísimo en la poética de Machado, de las expresiones simbólicas o elípticas, que poseen un indudable valor por sí mismas, en tanto que suponen hallazgos de calidad única, al lado de su importante misión en el concepto del mundo que Machado manifiesta a través de ellas, y que ya hemos visto. La belleza de una imagen («un huerto claro donde madura el limonero»), seguramente superior a cualquier otra forma de pensar lo mismo; la metáfora, sencilla y altanera a la vez («mi verso brota de manantial sereno»); la perfecta aliteración («corté las viejas *r*osas del hue*r*to de *R*onsard», donde guardan una escrupulosa alternancia la vibrante simple, y en posición implosiva más consonante dental, con la vibrante múltiple); la complacencia en la irregularidad de ese *yago* del verso 32, que sigue el paradigma de *hacer,* para poder rimar con *pago* en el verso 30, y no el paradigma de *nacer, conocer, agradecer,* etc. Pero sin que el poeta rompa excesivamente con lo previsto por el sistema, sino aprovechando que la competencia lingüística de los hablantes es muy dudosa en la forma del presente de *yacer,* por su rareza. Etcétera, etcétera. Todo, en fin, lo que la retórica clásica incluía en la noción de estilo, más, nos atreveríamos a decir, la belleza interna del mensaje en cuanto contenido, por su profundidad, originalidad, perfección lógica, que nada ni nadie, en principio, exigen de él.

Para terminar, y según hemos explicado en la función anterior, incluímos aquí el estudio de la métrica, a la que vemos de la siguiente manera:

Antonio Machado, muy al contrario que su hermano Manuel en la ocasión que referimos en la nota 24, utiliza para su retrato una modalidad de alejandrino netamente castellana, como es el alejandrino de ritmo trocaico. Muy rara vez, otra modalidad. El propósito, así planteado, hubiera dado lugar sin la menor duda a un ritmo pesadísimo, el de treinta y seis versos largos con la misma acentuación, que hubieran roto el poema de arriba abajo. Machado, digámoslo otra vez, siempre maestro en el detalle formal como en la talla del concepto, encuentra la solución intermedia: variar en lo posible la acentuación del trocaico. Posibilidad que, claro está, no puede darse en cuanto a los acentos principales, es decir, en las sílabas 2 y 6 de cada hemistiquio (ó 2, 6, 9 y 13 del verso). Tendrá que ser en los acentos secundarios (sílabas 4 y 11), bien sea marcándolos como principales, bien haciéndolos desaparecer. En el primer caso, llegarán incluso a desaparecer los acentos principales comunes (2 y 9), creando una variedad muy suave. En el segundo, obtendrá otra suavización del trocaico, pero de distinto signo. Por último, el más melodioso de todos, es el que sólo posee cuatro cumbres de intensidad, tales como los versos 13, 18 y 28. La combinación de todas estas variedades con el trocaico perfecto, dos en total (vv. 16 y 26), origina esa grata cadencia del poema, hecho sobre un ritmo que es uno y diverso a un tiempo, como corresponde al pensamiento dialéctico que fluye con él. No con las brusquedades del poema de Manuel, que, apurando el contraste, estaba sin duda en relación con las contradicciones internas del mayor de los hermanos.

Para que se vea de forma más clara, representaremos en un esquema lo que acabamos de decir del poema de Antonio. Clasificamos primero las diversas modalidades y tipos de alejandrinos que lo componen:

—trocaico puro, A: o óo óo óo o óo óo óo
—trocaico tipo B: falta el acento en segunda sílaba, primer hemistiquio.
—trocaico tipo C: falta el acento en segunda sílaba, segundo hemistiquio.
—trocaico tipo D: falta el acento en segunda sílaba, en los dos hemistiquios.
—trocaico tipo E: falta el acento en cuarta sílaba, ya sea en un hemistiquio, ya en los dos.
—trocaico tipo F: con alguna imperfección:

—con un acento antirrítmico, v. 21
—con cesura forzada, vv. 20, 22, 31
—falta el acento principal en sílaba seis, vv. 2, 36
—con diéresis un tanto forzada («conocé-is»), v. 6 *

—otros tipos, G:

—mixto de dáctilo más troqueo en el período rítmico, v. 5 (óoo óo).
—polirrítmico: hemistiquios de distinta modalidad: vv. 9, 12, 24.

Según esta clasificación, la naturaleza de cada verso produce el siguiente esquema:

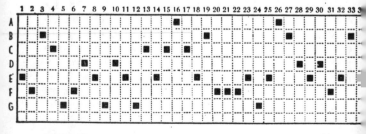

---

* Este verso número 6 podría tener otra lectura, con diptongo en «conoceis», pero obligaría a hacer una cesura muy forzada. De todos modos, saldrán trece sílabas si no se practica una de las dos lecturas especiales.

118

Se aprecia en seguida cómo Machado cambió la acentuación de un verso a otro, incluidos los 20, 21 y 22, que han sido clasificados en el mismo grupo, pero no por los acentos, sino por presentar alguna pequeña imperfección. Cuando hablamos de imperfección, léase bien lo que queremos decir: imperfección respecto al esquema ideal, lo que no significa falta de destreza. A menudo sucede en poesía que el esfuerzo por no salirse de la rigidez del ritmo teóricamente perfecto, conduce a otro modo de imperfección, pues obliga a romper una secuencia sintácticamente más normal, o acústicamente más grata. No es poco lo que los malos poetas deben a esta vana pretensión de absoluto. ¿Cómo Machado hubiera podido creer en ninguna perfección de la rigidez?

"CAMINOS"

por

Mᴀʀíᴀ ᴅᴇ ʟᴀs Mᴇʀᴄᴇᴅᴇs ᴅᴇ ʟos Rᴇʏᴇs Pᴇñᴀ

CAMINOS

De la ciudad moruna
tras las murallas viejas,
yo contemplo la tarde silenciosa,
a solas con mi sombra y con mi pena.

5   El río va corriendo,
entre sombrías huertas
y grises olivares,
por los alegres campos de Baeza.

Tienen las vides pámpanos dorados
10 sobre las rojas cepas.
Guadalquivir, como un alfanje roto
y disperso, reluce y espejea.

Lejos, los montes duermen
envueltos en la niebla,
15 niebla de otoño, maternal; descansan
las rudas moles de su ser de piedra
en esta tibia tarde de noviembre,
tarde piadosa, cárdena y violeta.

El viento ha sacudido

20   los mustios olmos de la carretera,
       levantando en rosados torbellinos
       el polvo de la tierra.
       La luna está subiendo
       amoratada, jadeante y llena.

25   Los caminitos blancos
       se cruzan y se alejan,
       buscando los dispersos caseríos
       del valle y de la sierra.
       Caminos de los campos...
30   ¡Ay, ya no puedo caminar con ella! [1]

El poema «Caminos» de Antonio Machado que
aparece en la segunda edición de *Campos de Castilla,*
en *Poesías Completas* (Madrid, Residencia de Estudiantes, 1917), se publicó por primera vez en *La Lectura,* en mayo de 1913, como indica Antonio Sánchez
Barbudo [2]. No obstante, cree que debió de ser escrito
en noviembre de 1912, a raíz de su llegada a Baeza,
pues en el poema mismo se menciona «esta tibia tarde
de noviembre». Al incluirlo en *Poesías Completas*
Machado acortó la primera versión suprimiendo cuatro versos en los que dejaba traslucir de forma más
explícita y menos contenida su dolor:

       Aguardaré la hora
       en que la noche cierra
       para volver por el camino blanco
       llorando a la ciudad sin que me vean [3].

1. MACHADO, Antonio, *Obras, poesía y prosa,* edición reunida por
Aurora de Albornoz y Guillermo de Torre, con un ensayo prelimi-
nar de Guillermo de Torre, Buenos Aires, Editorial Losada, S. A.,
1964, págs. 175-176.
2. SÁNCHEZ BARBUDO, Antonio, *Los poemas de Antonio Machado.*
Los temas. El sentimiento y la expresión, Barcelona, Edit. Lumen,
1969, 2.ª edición (Palabra en el tiempo), pág. 250.
3. Cf. *ídem,* pág. 252.

Como estos versos fueron eliminados por su autor, analizaré el poema sin tenerlos en cuenta, respetando la versión posterior que Machado nos ofrece del mismo.

Por su temática pertenece al ciclo de poesías dedicadas a su joven esposa tras su muerte [4]: es Leonor la que está detrás de ese *ella* que cierra la composición. Aunque en ésta se describe un paisaje de Baeza, contemplado desde las viejas murallas de la ciudad en una tarde de otoño, la soledad y el dolor de Machado están presentes en ella, son inseparables de su *yo,* que abre y cierra el poema, como muestran estos versos (el subrayado es mío):

1   De la ciudad moruna
     tras las murallas viejas,
     yo contemplo la tarde silenciosa,
4   *a solas con mi sombra y con mi pena.*
     ....
30   *¡Ay, ya no puedo caminar con ella!* [5]

Entre estas dos manifestaciones de su dolor personal, expresado directamente a través de la primera persona, queda dibujado un paisaje que aunque en unas ocasiones se independiza y contrasta con su estado de ánimo, en otras se ve alcanzado y teñido por sus sentimientos.

El poema comienza por dos breves versos heptasílabos cuya lectura resulta un poco violenta por la

---

4. Machado, que no le había cantado en vida, la evoca con frecuencia en sus versos cuando la muerte le ha separado de ella, como señala Ramón de Zubiría: «Y, en efecto, Machado, que no llegó a escribir en vida de su mujer un solo poema que celebrara su belleza o su bondad, ya que, según nos cuenta su biógrafo, Pérez Ferrero, se cuidaba mucho de ello, desde el momento mismo en que Leonor muere, o sea en cuanto se le convierte en una ausencia, abre los diques de su gran fuerza lírica y nos da, como frutos de su melancólica evocación, un puñado de bellísimas canciones, a las que difícilmente podría hallárseles par en la poesía amorosa española.» (*La poesía de Antonio Machado,* Madrid, Edit. Gredos, S. A., 1973, 3.ª edición, Biblioteca Románica Hispánica, pág. 127).
5. Machado, Antonio, *Obras, poesía y prosa,* ob. cit., págs. 175-176.

anástrofe que emplea el poeta al anteponer el complemento determinativo (*De la ciudad moruna*) al núcleo del que depende (*tras las murallas viejas*), invirtiendo el orden normal. Machado desea que el lector evoque primero *toda la ciudad* para detenerse después sólo en *sus murallas* que son el punto desde el que observa el paisaje. Estos dos versos iniciales guardan un paralelismo total en cuanto a los elementos que los forman, la disposición de los mismos, el número de sílabas y el ritmo acentual:

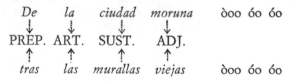

Los adjetivos *moruna* y *viejas* con los que califica la *ciudad* y las *murallas* respectivamente, conducen a un tiempo pasado: el primero evoca una ciudad conquistada por los moros, cuyas huellas, permaneciendo a través del tiempo, se dejan sentir todavía; el segundo muestra unas murallas construidas también en época pasada sobre las que el tiempo ha dejado su marca.

Tras estos dos versos, que son como dos rápidas pinceladas que sirven a Machado para fijar el espacio desde el que divisa el paisaje, aparece explícitamente, iniciando el tercer verso, el *yo* del poeta que en la más completa soledad contempla *la tarde silenciosa: su sombra*, inseparable de él, y *su pena,* tan unida a él y tan inseparable como su propia sombra, son su única compañía. Después de expresar de forma breve, concisa y contenida sus sentimientos, su situación personal (v. 4), Antonio Machado comienza a describir el paisaje que tiene ante la vista. Esta descripción, que intenta hacer de forma objetiva, ocupa el resto del poema hasta que se ve bruscamente interrumpida por una exclamación en la que de nuevo sus sentimientos, su *yo,* vuelven a colocarse en el primer plano. No pudiendo por más tiempo silenciar lo que siente, callar su dolor, expresa otra vez su soledad en un lamento triste y desesperanzado:

¡Ay, ya no puedo caminar con ella!

Aunque Machado, dejando a un lado sus sentimientos, se centra en la descripción del paisaje a partir del 5.º verso, éstos influyen en su visión del mismo: presenta una «tarde silenciosa» y un río que corre entre «sombrías» huertas y «grises» olivares. Sin embargo, este tono apagado con el que comienza se ve roto en el verso 8.º por el adjetivo *alegre* que sorprende al lector como un estallido de júbilo en medio de ese ambiente grisáceo. Dado el primer paso, consigue ofrecernos un paisaje lleno de color y luz que contrasta fuertemente con su estado emocional.

Para plasmar ese colorido y esa luz que inundan el paisaje se vale de un gran número de adjetivos (*sombrías, grises, dorados, rojas, cárdena, violeta, rosados, amoratada, blancos*), así como de algunos verbos (*reluce* y *espejea*) y sustantivos que de forma implícita también expresan color como sucede con *huerta, alfanje* o *niebla* que nos evocan tonos verdes, plateado brillante y gris respectivamente. Pero aunque este paisaje penetre en nosotros fundamentalmente a través del sentido de la vista, Machado utiliza también adjetivos que impresionan otros sentidos: *silenciosa* (oído) y *tibia* (tacto), en un deseo de aprehender ese paisaje de la forma más completa posible y de comunicar todas las sensaciones que en él despierta. Este propósito de describir minuciosamente todo lo que ve, oye y siente le obliga a emplear una adjetivación abundante: casi todos los sustantivos van acompañados por un adjetivo y, a veces, por dos (alfanje *roto* y *disperso*) e incluso por tres (tarde *piadosa, cárdena* y *violeta* y luna *amoratada, jadeante* y *llena*) llegando a llenar con ellos todo un verso, como ocurre en el 24.

Machado comienza la descripción del panorama que contempla dibujando el curso del río entre las huertas y olivares de Baeza (v. 5-8). Esta imagen dinámica del río (es visto como agua que corre) pone la primera nota de movimiento y vida en esa tarde silenciosa. El rumor del fluir de la corriente está evocado por la aliteración del sonido consonante alveolar vibrante múltiple [r̄] y simple [r] en las palabras que forman dichos versos (*río*, *corriendo*, *entre*, *sombrías*, *huertas*, *grises*, *olivares*, *por*, *alegres*). El empleo de versos heptasílabos parece aligerar ese fluir que queda un poco remansado con el endecasílabo que cierra el grupo.

Los versos 9-12 muestran en detalle y siguiendo un orden inverso (primero el *campo* y después el *río*) los mismos elementos que habían sido ya presentados en los versos anteriores. Ahora el poeta concreta y describe los cultivos que llenan esos *alegres campos* (*vides* a las que el sol de la tarde otoñal da unos colores *dorados* y *rojos* que contrastan con los tonos más oscuros y apagados de las *sombrías huertas* y los *grises olivares* de los versos 6 y 7) así como la imagen que ofrece el río desde la perspectiva que él lo contempla. Mediante una comparación de belleza extraordinaria y dos verbos capta perfectamente la imagen del curso del río por los alrededores de Baeza. Machado elige como término alusivo de la comparación, como elemento imaginativo de la misma, un *puñal* pero con el indudable acierto de emplear para nombrarlo la palabra *alfanje* cuya etimología árabe [6] está en perfecta consonancia con el nombre árabe del río, *Guadalquivir*, que especifica en el mismo verso, y el adjetivo *moruna* con el que califica

6. J. Corominas la deriva de la forma hispanoárabe *ẖánǧal* 'puñal', 'espada corta' (árabe *ẖánǧar*). (*Diccionario Crítico-Etimológico de la Lengua Castellana*, 4 tomos, Madrid, Edit. Gredos, S. A., 1954, t. I, pág. 111).

a la ciudad en el primero. Pero es un alfanje *roto* y *disperso,* como precisa Machado, a causa de sus intermitentes apariciones tras ocultarse a la vista en determinados lugares. La luz solar de la tarde, que hacía dorados los pámpanos y rojas las cepas, al reflejarse en sus aguas en movimiento le hace brillar y destellar como si fuera un espejo, como expresan los verbos *reluce* y *espejea* cuya cercanía semántica refuerza y acentúa ese brillo.

Después de describir los campos y el río, Machado levanta la vista y se aleja más en el espacio haciendo sentir al lector la distancia a través del adverbio *Lejos* que inicia la descripción, y la pausa que coloca tras el mismo. Son ahora los montes lejanos los que ocupan su atención. Frente al río que corre, éstos aparecen, al fondo, quietos: *duermen envueltos en la niebla,* una niebla que califica con el adjetivo de discurso *de otoño* que concreta el tiempo físico en el que se desarrolla el poema (al situar en una estación determinada esa tarde de la que habla el poeta), y que subjetiva mediante el adjetivo *maternal* que elimina la carga negativa que acompaña generalmente a la palabra *niebla* y nos hace imaginarla suave, tierna, agradable, bienhechora y dulcemente envolvente. Ese reposar de los montes al arrullo de la niebla en el que el poeta vuelve a insistir (... *descansan / las rudas moles de su ser de piedra*) produce una idea de serenidad y de paz que contrasta con su desasosiego espiritual. Acuciado por la soledad y el dolor parece envidiar esos montes cuyo *ser de piedra,* ajeno a todo sentimiento, les permite dormir y descansar tranquilos en la tibia tarde otoñal.

Profundamente preocupado por el tiempo, Antonio Machado concreta todavía más esa tarde al situarla en el mes de noviembre, y la individualiza con el demostrativo *esta* (v. 17). No se refiere en su poema a una tarde cualquiera, sino a una determinada que vivió en noviembre tras las murallas de Baeza. De esta forma consigue fijar en su poesía un momento concreto de su vida, de su existir en el tiempo.

Después de individualizarla, se complace en la descripción de la tarde, parte del día a la que canta en numerosas composiciones. Zubiría la llama «la hora machadiana» y destaca la *melancolía* como la característica que identifica casi todas sus tardes: «Así son casi todas: unas tardes tristes, lentas y melancólicas, con esa imprecisa mezcla de horror por las sombras que se avecinan y de esperanza por la luz que ha de traer el nuevo día» [7]. Sin embargo, en este caso, la tarde aparece sin notas negativas aunque queda teñida, como toda la poesía, por el dolor de Machado que parece respetar con su silencio (v. 2).

De los cuatro adjetivos con los que se describe la tarde en los versos 17 y 18: *tibia, piadosa, cárdena* y *violeta,* los dos primeros evocan una tarde templada y amable, comunicándonos el segundo la forma de verla y sentirla el poeta, como ocurría con los adjetivos «*maternal*» aplicado a *niebla,* «*alegres*» a *campos* o «*silenciosa*» a *la tarde.* Machado emplea con mucha frecuencia este tipo de adjetivos en su poesía y, así, nos encontramos con «frutas *risueñas*», «limoneros *lánguidos*», «tardes *tristes* o *soñolientas, destartaladas* o *melancólicas, mustias* o *desabridas, llenas de hastío*», etc., como recoge Zubiría. Esta adjetivación corresponde a «una intención de subjetivar el paisaje, de convertirlo en paisaje del alma» como señala el citado crítico [8]. Los otros dos adjetivos (*cárdena* y *violeta*), dirigidos al sentido de la vista, pertenecen a la misma gama cromática e insisten en la misma tonalidad: el matiz violáceo del atardecer, de ese momento del día en el que se confunden la tarde que agoniza y la noche que comienza débilmente a inundar el paisaje.

---

7. ZUBIRÍA, Ramón de, *La poesía de Antonio Machado,* ob. cit., pág. 31.
8. *Idem,* pág. 160.

En los versos 19-24 el movimiento vuelve al paisaje a través de las imágenes que Machado ofrece del viento y de la luna. No obstante, existe un fuerte contraste entre el tipo de movimiento que los anima: la rapidez y agilidad del viento que con su fuerza mueve las hojas mustias de los olmos y arrastra en torbellinos el polvo de la tierra (v. 20-22) contrasta con el lento y trabajoso ascenso de la luna, expresado por medio de la perífrasis *está subiendo* (que subraya la continuidad de su progresiva subida) y el adjetivo *jadeante* ('respirando anhelosamente por efecto del cansancio'). La tarde, proyectando su luz sobre ella, la tiñe con su tono morado (v. 24).

La imagen de la luna remontándose en el cielo contribuye a precisar más el tiempo y, sobre todo, hace sentir su paso: ésta no es sorprendida inmóvil en un punto fijo del horizonte sino en su lenta subida, símbolo del fluir del tiempo. Esta visión temporal del paisaje se advierte también en el progresivo apagarse de la tarde que se observa a lo largo del poema: el sol que iluminaba las vides dándoles un color dorado y rojo y hacía relucir y espejear al río (v. 9-12) ha ido descendiendo cada vez más hasta proporcionar a la tarde ese color cárdeno y violeta con que aparece en el verso 18.

En los versos 25-28 Machado sigue dándonos idea de movilidad: ahora, son los caminitos los que, llenos de vida, *se cruzan y se alejan* (verso bipartito perfectamente equilibrado en sus dos partes que están formadas por elementos de la misma categoría: pronombre-verbo, organizados en idéntica disposición: pronombre-verbo + pronombre-verbo) / *buscando los dispersos caseríos / del valle y de la sierra*. Este último verso (28), bipartito como el 26, presenta características semejantes: paralelismo entre sus dos partes que constan también de los mismos elementos (preposición-artículo-sustantivo). En este caso, la primera parte resulta más breve debido a la contracción de la preposición y el artículo. Los versos 26 y 28 son paralelos en su construcción (bipartitos), en su número de sílabas (heptasílabos), y en su ritmo (trocaicos: o óo òo óo). *Los caminitos blancos* y, sobre todo, *los dispersos caseríos* hablan de la presencia del hombre en ese paisaje que, silenciada hasta este momento, es indirectamente evocada a través de dichas palabras.

La descripción de esos caminos, tan frecuentes en la poesía de Machado, se ve bruscamente interrumpida en el verso 29: el poeta deja sin concluir la expresión del pensamiento que ha comenzado a comunicar, como indican los puntos suspensivos, para traer de nuevo su *yo* al primer plano en un amargo lamento por la imposibilidad de poder recorrer esos caminos —como había hecho por las tierras altas de Soria— en compañía de su amada (v. 30). Tras el adverbio *ya* se esconde «algo» —que Machado no especifica— que le ha cerrado para siempre esa posibilidad. Ese «algo» es la muerte de Leonor que «queda "en clave" para el lector que no sepa por otro conducto que Machado había perdido a su esposa», como indica José María Valverde [9], y que justifica los sentimientos de soledad y de pena expresados al principio del poema. En adelante, Machado, eterno caminante, como todo hombre porque para él la vida es camino, tendrá que caminar solo, sin poder apoyarse en una mano amiga que le haga más llevadero y dulce el sendero, como se desprende tristemente del último verso del poema.

Aspectos métricos.

Desde el punto de vista métrico esta composición está formada por 30 versos: 15 heptasílabos y 15 endecasílabos, distribuidos en seis grupos tipográficos

9. VALVERDE, José María, *Antonio Machado*, Madrid, Siglo XXI de España Editores, S. A., 1975, 1.ª edición, pág. 131.

que no tienen carácter estrictamente estrófico. Se diferencian tanto en la extensión (los tres primeros grupos tienen cuatro versos frente a los seis que presentan los tres últimos) como en la distribución de los endecasílabos y heptasílabos que aparecen combinados caprichosamente, sin respetar ningún orden, como muestra el siguiente esquema:

```
1.er grupo:   7 -  7a - 11 - 11a |
2.º    »   :  7 -  7a -  7 - 11a |
3.er   »   : 11 -  7a - 11 - 11a |
4.º    »   :  7 -  7a - 11 - 11a - 11 - 11a |
5.º    »   :  7 - 11a - 11 -  7a -  7 - 11a |
6.º    »   :  7 -  7a - 11 -  7a -  7 - 11a |||
```

Estos versos están unidos por una única rima asonante («é-a») que se mantiene a lo largo de todo el poema en los versos pares quedando libres los impares. Es decir, Machado aplica la rima del romance a los metros de la silva. Este tipo de composición, silva arromanzada, gozó de su preferencia hasta tal punto que Zubiría la presenta como «el poema típico machadiano». Esta forma, como señala el citado crítico, al mismo tiempo que le ofrecía la posibilidad de utilizar la rima del romance (la más perfecta según Machado) evitaba el peligro de caer en la monotonía que podía ocasionar la unidad métrica del mismo [10].

El uso del encabalgamiento contribuye a dar mayor flexibilidad, fluidez y unidad al poema.

Como resumen, se puede decir que Antonio Machado en «Caminos» deja descrito entre dos confidencias de su alma (v. 3-4 y 30) el paisaje de Baeza que tantas veces contempló desde la Cruz de la Vaqueta, como indica Julio César Chaves [11]. Rafael Laí-

10. ZUBIRÍA, Ramón de, *La poesía de Antonio Machado*, ob. cit., págs. 179-180.
11. CHAVES, Julio César, *Itinerario de don Antonio Machado (De Sevilla a Collioure)*, Madrid, Editora Nacional, 1968, pág. 219.

nez Alcalá, que fue discípulo suyo en el Instituto de Baeza, lo recuerda completamente absorto y ensimismado en dicha contemplación: «Todavía lo recuerdo, apoyado con sus dos manos en su cayada, como tantas veces, llenos los ojos de lejanía, inmóvil, en la presencia ausente de una estatua viva... A lo lejos, en el fondo del valle, «Guadalquivir, como un alfanje roto y disperso reluce y espejea», escribió él y nosotros lo hemos visto muchas veces ...» [12].

También nosotros podemos ver ese paisaje a través de la palabra de Machado que da una visión completa y animada del mismo, haciendo sentir en él el espacio y el tiempo. Lejos de ofrecer una imagen estática, fijada en un momento del tiempo, como se podría obtener con una cámara fotográfica, muestra un paisaje cuyos elementos, situados en ese fluir del tiempo, se mueven y cambian de lugar. Así, *el río va corriendo / entre sombrías huertas / y grises olivares; el viento ha sacudido / los mustios olmos de la carretera, / levantando en rosados torbellinos / el polvo de la tierra; la luna está subiendo / amoratada, jadeante y llena*; y hasta *los caminitos* están dotados de actividad (*se cruzan y se alejan / buscando los dispersos caseríos / del valle y de la sierra*) en ese paisaje en el que sólo *los montes duermen / envueltos en la niebla*. Es decir, Machado no se limita a sorprender la realidad que tiene ante sus ojos en un momento determinado, como hacían los pintores impresionistas, sino que la capta y nos la da completa en su doble dimensión espacial y temporal, como ha quedado de manifiesto a lo largo del análisis del poema.

12. Laínez Alcalá, Rafael, «Recuerdo de Antonio Machado en Baeza», en *Antonio Machado*, edición de Ricardo Gullón y Allen W. Phillips, Madrid, Taurus Ediciones, S. A., 1973 (Colección Persiles, Serie *El escritor y la crítica*), pág. 92.

EL REENCUENTRO DE MACHADO CON EL PAISAJE ANDALUZ: COMENTARIO DEL POEMA "EN ESTOS CAMPOS DE LA TIERRA MIA...", DE *CAMPOS DE CASTILLA*

por

Rogelio Reyes Cano

CXXV [1]

En estos campos de la tierra mía,
y extranjero en los campos de mi tierra
—yo tuve patria donde corre el Duero
por entre grises peñas,
y fantasmas de viejos encinares,
allá en Castilla, mística y guerrera,
Castilla la gentil, humilde y brava,
Castilla del desdén y de la fuerza—,
en estos campos de mi Andalucía,
¡oh tierra en que nací!, cantar quisiera.
Tengo recuerdos de mi infancia, tengo
imágenes de luz y de palmeras,
y en una gloria de oro,
de lueñes campanarios con cigüeñas,
de ciudades con calles sin mujeres

1. Tomo el texto del poema de: Antonio MACHADO, *Obras. Poesía y prosa*, ed. de Aurora de ALBORNOZ y Guillermo de TORRE. Buenos Aires, Losada, 1964, págs. 178-179. He tenido también presente el texto de *Poesie di Antonio Machado*, de Oreste MACRI, Milano, Lerici, 1969, 3.ª ed., págs. 508-510, que indica al final del poema: «Lora del Río, 4 abril 1913», suprimiendo el *de* del texto de Losada. En adelante, y salvo indicación en contrario, citaré siempre los escritos de Machado por la edición de Losada. A ella remiten todas las páginas correspondientes.

bajo un cielo de añil, plazas desiertas
donde crecen naranjos encendidos
con sus frutas redondas y bermejas;
y en un huerto sombrío, el limonero
20 de ramas polvorientas
y pálidos limones amarillos,
que el agua clara de la fuente espeja,
un aroma de nardos y claveles
y un fuerte olor de albahaca y hierbabuena
25 imágenes de grises olivares
bajo un tórrido sol que aturde y ciega,
y azules y dispersas serranías
con arreboles de una tarde inmensa;
mas falta el hilo que el recuerdo anuda
30 al corazón, el ancla en su ribera,
o estas memorias no son alma. Tienen,
en sus abigarradas vestimentas,
señal de ser despojos del recuerdo,
la carga bruta que el recuerdo lleva.
35 Un día tornarán, con luz del fondo ungidos
los cuerpos virginales a la orilla vieja.

Lora del Río, 4 abril 191

I

El poema pertenece al libro *Campos de Castilla* y se publicó por primera vez en la edición de las *Poesías Completas* (1917) de la Residencia de Estudiantes. Escrito, según nos dice el autor, en el año 1913, hay que encuadrarlo por su temática en ese grupo de poemas que J. M. Valverde llama los del «primer ciclo de Leonor», compuestos en los primeros tiempos de la estancia de Machado en Baeza, «en el umbral de su erradicación en Andalucía» [2]. El poeta ha dejado atrás su experiencia soriana. Sobre su alma gravita el recuerdo de la muerte reciente de su esposa y su fijación sentimental al paisaje de Castilla [3]. Ambos —Leonor y Castilla— constituyen en este primer momento de Baeza los dos componentes fundamentales de la mitología poética de Machado:

---

2. J. M. Valverde, *Antonio Machado*. Madrid, Siglo XXI de España, 1975, pág. 132.

3. En el prólogo a *Campos de Castilla* de la edición de 1917 reconoce el poeta: «Cinco años en la tierra de Soria, hoy para mí sagrada —allí me casé; allí perdí a mi esposa, a quien adoraba—, orientaron mis ojos y mi corazón hacia lo esencial castellano» (pág. 47). Y en una conocida carta a Unamuno, escrita probablemente en 1913, a poco de llegar a Baeza, confiesa su estado sentimental en la nueva tierra: «Tengo motivos que usted conoce para un gran amor a la tierra de Soria; pero tampoco me faltan para amar a esta Andalucía donde he nacido. Sin embargo, reconozco la superioridad espiritual de las tierras pobres del alto Duero. En lo bueno y en lo malo supera aquella gente» (pág. 914).

«Leonor —tal como señala O. Macrì— è interamente assimilata al mito soriano e quindi alla *madre* Castiglia» [4]. Castilla —su paisaje— dejará sentir obsesivamente su presencia en una serie de poemas, en oposición a una nueva y recién descubierta Andalucía que acabará por suscitar en el poeta los recuerdos de esa otra Andalucía infantil casi olvidada. El paisaje andaluz que aquél contempla provocará en su ánimo la exaltación de un paisaje castellano que en cierto sentido también es nuevo, pues ha de contar ahora con la presencia de Leonor, fundida con la tierra del Duero [5]. Esta esencial incorporación de Leonor al paisaje es una de las claves diferenciales entre el primer *Campos de Castilla* de 1912 y ese otro que se nos ofrece en las *Poesías Completas* cinco años después. Soria y Leonor, identificados en la distancia, ponen el contrapunto sentimental a un paisaje del sur que se ofrece a los sentidos del poeta en la eclosión de la primavera. Así en «Recuerdos», fechado también en 1913:

Oh Soria, cuando miro los frescos naranjales
cargados de perfume, y el campo enverdecido,
abiertos los jazmines, maduros los trigales,
azules las montañas y el olivar florido;
Guadalquivir corriendo al mar entre vergeles;
y al sol de abril los huertos colmados de azucenas,
y los enjambres de oro, para libar sus mieles
dispersos en los campos, huir de sus colmenas;
yo sé la encina roja crujiendo en tus hogares,
barriendo el cierzo helado tu campo empedernido... [6]

La evocación nostálgica de las tierras del alto Due-

---

4. MACRI, obra citada, pág. 160.
5. *Antonio Machado, Poesía*, estudio, notas y comentarios de Pilar PALOMO. Madrid, Narcea, 1974, 2.ª ed., pág. 35: «El mundo mítico soriano, en que Leonor se funde con la tierra, hasta pasar ambas a significar nostalgia y vida renaciente (*A José María Palacio*)».
6. Pág. 173.

ro la encontramos también en otros poemas incorporados a *Campos de Castilla* en 1917, entre ellos los señalados con los números CXVIII (*De la ciudad moruna / tras las murallas viejas...*), CXXI (*Allá, en las tierras altas / por donde traza el Duero...*), CXXVI (*Palacio, buen amigo, / ¿está la primavera...*) y CXXVII (*Ya en los campos de Jaén / amanece. Corre el tren...*), escritos también en momentos primaverales o en la dorada tibieza del otoño en los campos de Baeza. A todos estos debemos añadir el conocido soneto «*¿Por qué, decisme, hacia los altos llanos...*», que no se publicó hasta 1928, en *Nuevas Canciones,* pero que Machado fecha en Sevilla, 1913, en el cuaderno de *Los Complementarios* [7]. Estas composiciones ofrecen todas, en mayor o menor medida, el fenómeno de la superposición afectiva del paisaje soriano sobre la visión inmediata del campo andaluz, que suele servir de estímulo aparente del poema. Pero esa inmediatez geográfica no basta para incorporar el nuevo paisaje a la mitología poética de nuestro autor, al menos en esos primeros momentos en que se siente dramáticamente desarraigado de Castilla. Es preciso esperar a que «como la infancia, el mito soriano pase a constituirse en otro *jardín interior,* permitiendo la irrupción paulatina del presente» [8]. El corazón del poeta tarde en abrirse a esa nueva «geografía emotiva» [9], pero al fin será capaz de cantarla. Poco a poco la imagen de Leonor se va desligando del mismo paisaje soriano, que sigue su destino sin ella. Y entre el *pasado* (mitificación de la identidad Soria-Leonor) y

---

7. *Los Complementarios*, transcripción de Domingo YNDURAIN. Madrid, Taurus, 1972, pág. 21. En relación con este soneto puede verse el comentario que hace en este mismo libro Begoña LÓPEZ BUENO.

8. P. PALOMO, obra citada, pág. 39.

9. Idem, pág. 35: «El descubrimiento de una nueva geografía emotiva va a llegar hasta él de la mano de una estilización artística de lo popular, en que su perenne intimismo hallará nuevo cauce. Porque la *materia* es, en definitiva, idéntica: un paisaje vivido transformado en esencia poética».

el nuevo *presente* (liberado ya el poeta del mito soriano, compartido en *Nuevas Canciones* con el paisaje
andaluz) [10], Machado percibe lúcidamente las razones
de su estado:

> mas falta el hilo que el recuerdo anuda
> al corazón, el ancla en su ribera,
> o estas memorias no son alma...

Sequedad es la palabra que ha empleado la crítica [11] para definir esa imposibilidad machadiana de
sustraerse al mito de Castilla, de cantar a una Andalucía que, a pesar de su presencia física, no es para
el poeta más que «imágenes» y «recuerdos»; una
geografía poética sin alma, incapaz de provocar su
canto esencial. Es la lúcida conciencia de ese estado
lo que provoca en Machado el poema que ahora nos
ocupa.

Sabemos que don Antonio no era muy riguroso
a la hora de fechar sus poemas y ello nos obliga a
actuar con cautelas cuando nos encontramos con algún
dato cronológico [12]. En esta ocasión, sin embargo, el
autor ha precisado más de lo que en él era habitual:
no sólo nos indica el lugar donde debió nacer el poema (Lora del Río), sino el año, el mes y hasta el
día: 4 de abril de 1913. Desde Baeza, Machado viajó
en varias ocasiones por distintos lugares de Andalucía
y tenemos noticia, al menos, de dos viajes hacia el

---

10. «Il ricordo di Soria e del Duero arde e punge nei primi
anni di Baeza, e Soria-Baeza è una compresenza e scambio mutuo
e continuo di memoria e realtà, contrappunto armonizzato e vigi-
lato dal fantasma di Leonor, ombra tutelare del poeta (CXVI,
CXVIII-CXXVIII), fino alla drammatica di Andalusía e Castiglia
nei *Sueños dialogados* della CLXIV (1920)». (MACRI, obra citada,
pág. 40).
11 . Sobre este problema de la «sequedad» machadiana puede
verse: Dámaso ALONSO, *Fanales de Antonio Machado*, en *Cuatro
poetas españoles*. Madrid, Gredos, 1962, págs. 150-151, y Alberto
GIL NOVALES, *Antonio Machado*. Barcelona, Fontanella, 1970, páginas 77-78.
12. Parece ser que Machado pone a veces «la fecha de su experiencia recordada, y no la de la redacción de los versos» (VAL-
VERDE, obra citada, pág. 113). Estos problemas de cronología son
especialmente enrevesados en el cuaderno de *Los complementarios*.

Bajo Guadalquivir: los dos al Puerto de Santa María, uno en 1916, para la boda de su hermano Francisco, y otro al año siguiente, para el bautizo de su sobrina. Sevilla anteriores a esos años y sin embargo el mismo poeta fecha un poema en esa capital en 1913 (el soneto ya citado de *Los Complementarios*). «Recuerdos» lleva al pie también: «En el tren, abril 1913» [13]. Cabe, pues, pensar con fundamento en otro viaje a Sevilla en esa fecha. Y en la probable detención en Lora del Río [14], pueblo que se halla en la línea del ferrocarril Córdoba-Sevilla.

II

Inserto en esa etapa de mitificación del paisaje castellano, este poema fechado en Lora es al mismo tiempo una declaración explícita y una justificación de la pasajera esterilidad creativa que debió sentir

13. Págs. 173-174. La edición de Losada da una fecha, al parecer errónea: abril de 1912. Ediciones posteriores ratifican la de 1913 (MACRI, pág. 1193, y también Rafael FERRERES, en su edición de *Campos de Castilla*. Madrid, Taurus, 1974, 2.ª ed., págs. 123-125).
14. He intentado documentar, sin demasiados resultados, este viaje de Machado a Sevilla y su probable detención en Lora. La búsqueda en la Hemeroteca Municipal sevillana ha sido, como sospechaba, infructuosa. Aunque en 1913 el poeta ya había publicado *Campos de Castilla*, su fama nacional comienza más bien a partir de las *Poesías Completas* de 1917, por lo que no sorprende que la prensa diaria de Sevilla no se haga eco de un viaje que debió ser breve, tal vez en un fin de semana. (El 29 de marzo fecha todavía un poema en Baeza («A José María Palacio») y el 4 de abril era viernes). No ignoramos las reservas con que hay que acoger estos datos y el incierto terreno en que nos movemos, teniendo en cuenta lo que hemos dicho antes sobre la cronología de los poemas de Machado. De su probable estancia en Lora tampoco quedan recuerdos absolutamente fidedignos, si bien algunas personas amigas con las que he hablado atribuyen esta visita a la amistad que unía a Machado con el notario del pueblo, que era en aquel año don José Bocanegra y Gómez. Se trata, por supuesto, de recuerdos orales y ya muy distantes en el tiempo, que si no pueden documentarse fehacientemente, tampoco hay razones serias para ponerlos en duda. No se me oculta —si es que se descarta la visita a Lora— la posibilidad de otra hipótesis: ¿Se limitó Machado a fechar el poema en este pueblo sólo porque allí le fue sugerido a su paso en el tren (como hace Juan Ramón Jiménez en su *Diario de un poeta recién casado*)? En ese caso, ¿por qué explícita en «Recuerdos»: *en el tren*, y no *aquí*? Personalmente me inclino por la verosimilitud de su estancia en Lora del Río.

el poeta. Machado quiere explicarnos las razones de su *sequedad* ante un paisaje andaluz en el que, hasta el momento, el poeta no se ha *objetivado* y, por lo tanto, no lo ha incorporado a su yo esencial [15]. El poema ilustra, pues, una actitud que llena estos primeros momentos de Baeza. Situado frente a un paisaje que es una mezcla de *recuerdo* y de realidad presente (pero que él sólo percibe como *recuerdo* o *imagen*), el autor nos comunica su verdad —la sequedad afectiva y poética, la imposibilidad del canto—, pero también su esperanza, su convicción de que alguna vez podrá hacerlo de nuevo: *Un día tornarán, con luz del fondo ungidos, / los cuerpos virginales a la orilla vieja.* Sobre el tema de la sequedad poética como eje fundamental del poema se establece la antítesis Castilla / Andalucía. Aquí la superposición del paisaje castellano, aun siendo menos explícita que en otros poemas en cuanto a su concreta descripción, es sin embargo más rotunda en su manera de formularse. El poeta reconoce expresamente las razones de la suplantación sentimental del paisaje de Andalucía por el de Castilla. Y él mismo recalca la contraposición afectiva desde la paradoja con que se abre el poema:

En estos campos de la tierra mía,
y extranjero en los campos de mi tierra...

Machado se siente extranjero en su *tierra*, término que entra aquí en oposición al de *patria* (—*yo tuve «patria» donde corre el Duero...*), concepto aho-

---

15. Empleo aquí el término *objetivado* con el valor que le da *Azorín* cuando afirma que «La característica de Machado, la que marca y define su obra, es la objetivación del poeta en el paisaje que describe» [...] «...paisaje y sentimientos —modalidad psicológica— son una misma cosa; el poeta se traslada al objeto descrito, y en la manera de describirlo nos da su propio espíritu» (*El paisaje en la poesía*, en *Clásicos y Modernos*. Buenos Aires, Losada, 1959, 5.ª ed., págs. 78-79). Lo peculiar de ese paisaje andaluz que aparece en nuestro poema es, como después veremos, la imposibilidad de que, a través de él, Machado, como dice *Azorín*, nos dé su propio espíritu, cosa que podrá expresar, sin embargo, a través del paisaje del alto Duero.

ra más esencial. Andalucía es sólo la *tierra*; Castilla la *patria*. El juego dialéctico se percibe también en la oposición *tierra mía* / *mi tierra*. La anteposición del posesivo parece querer expresar una esencialidad tanto menos lograda cuanto más ligada al término *extranjero*. La expresión *tierra mía* suele denotar, en cambio, en Machado lazos menos intensos con el contexto de su niñez [16]. Entiendo, pues, los dos primeros versos no como una mera reiteración de la orfandaz sentimental del poeta sino como una sutil gradación que va desde la escueta frase declarativa que no connota nada esencial (*En estos campos de la tierra mía*) a la expresión de la esencialidad del poema: la extranjería en *su* tierra, los recuerdos sin alma que vuelven a aparecer al final de la composición. El pasado *tuve* creo que merece también una explicación. Y entiendo que no puede interpretarse sin más como la simple traducción verbal de ese *pasado* en el tiempo histórico que es la Castilla del Duero para el hombre *histórico* Machado. Claudio Guillén, en un magistral comentario del poema «A José María Palacio», observa agudamente cómo Palacio «no sólo es, sino sobre todo *fue* amigo del poeta —cuando aún vivía su esposa Leonor. En su interior, el poeta atesora una primavera pasada... Y es Palacio, por lo tanto, *un punto fijo en el fluir del tiempo,* un lazo inapreciable entre el pasado y el presente» [17]. *Tuve* patria no expresa, pues, sólo una acción puntual, definida en el tiempo, sino un pasado permanentemente presente en el interior del poeta.

La visión de Castilla, al contraponerse con la de los *campos* andaluces, se expresa en términos sintéticos, casi formulaicos, hecho que hay que relacionar

---

16. Así la saeta, que tampoco es *mi cantar*, será, sin embargo, *cantar de la tierra mía* (pág. 188).
17. Claudio GUILLÉN, *Estilística del silencio (En torno a un poema de Antonio Machado),* publicado en *Antonio Machado. El escritor y la crítica,* ed. de R. GULLÓN y A. W. PHILLIPS. Madrid, Taurus, 1973, págs. 457-458.

con la intención *declarativa* del poema. (Es de destacar la insistencia de Machado en la palabra *campos,* y esto en un poema que describe sobre todo paisajes urbanos y de interior. El valor paradigmático del término *campos* parece claro: frente a los *campos* de Castilla, expresión de la esencialidad machadiana, los *campos* andaluces. No importa ahora que la palabra pudiera estar desprovista de una significación estrictamente geográfica; esos campos, que no son aún «paisaje del alma», no despiertan en el poeta sino sequedad.) Castilla, el verdadero «paisaje del alma», se presenta con una técnica más impresionista, menos demorada de lo que es habitual en *Campos de Castilla* e incluso en algunos de los poemas añadidos en 1917 [18]. Tres referencias geográficas (el *río,* las *peñas* y las *encinas*) concretan ahora toda la intensidad del paisaje del alto Duero. Machado gusta de la imagen dinámica, existencial, de un Duero que corre hacia el mar en medio de un paisaje casi fantasmal (no se trata de la encina familiar, tantas veces cantada, sino de *fantasmas de viejos encinares,* imagen que presagia el paisajismo de los *Sueños dialogados*). El río es aquí símbolo de la condición itinerante del hombre, en la vieja línea manriqueña. Su esencia no es *estar* sino *correr* (*donde corre el Duero...*). También en «Recuerdos» el tren le ofrece la visión del *Guadalquivir corriendo al mar entre vergeles.*

En el paisajismo de *Campos de Castilla* la encina y la roca se interrelacionan como expresión de la humildad y la firmeza [19]. La encina es también símbolo de los hombres que a su sombra viven [20]. Aquí debemos relacionarlas con la segunda parte del «retrato» castellano:

---

18. Como en «Recuerdos» y en «A José María Palacio», por ejemplo.
19. Así en «Las encinas», págs. 134-137.
20. Aurora de ALBORNOZ, *La presencia de Miguel de Unamuno en Antonio Machado.* Madrid, Gredos, 1968, pág. 162.

allá en Castilla, mística y guerrera,
Castilla la gentil, humilde y brava,
Castilla del desdén y de la fuerza—,

Nos hallamos ante una interpretación noventaiochista, y culturalista, del paisaje humano de Castilla, a la que no es ajena el famoso libro de *Azorín*, tan elogiado por Machado [21]. La pobreza del paisaje (rocas grises y encinares) connota cualidades morales: la humildad, la bravura, el valor guerrero y la fortaleza desdeñosa del pobre que acepta el reto de la fortuna [22]. Los tres versos recuerdan hasta en su estructura formal a estos otros de «Orillas del Duero»:

¡Castilla varonil, adusta tierra;
Castilla del desdén contra la suerte,
Castilla del dolor y de la guerra,
tierra inmortal, Castilla de la muerte [23].

Añadamos dos referencias que dan más que ninguna otra la nota literaria y cultural: *Castilla mística,* expresión de la exaltación noventaiochista de una espiritualidad cuyo paradigma es Castilla, y *Castilla la gentil,* frase esta última de aire romanceril, expresión formulaica que aparece ya en el *Cantar de Mío Cid* [24] y que Machado traslada íntegra a su verso. En realidad el tono formulaico cuadra a los tres últimos versos del «retrato» castellano y viene acentuado por las anáforas ((allá en) *Castilla*; *Castilla* la gentil...; *Castilla* del desdén...) y por la disposición sintáctica. Al comentar el poema «Recuerdos», Macrì habla de

21. Don Antonio dedicó dos poemas al libro *Castilla,* ambos publicados en *Campos de Castilla*: «Al maestro *Azorín* por su libro *Castilla*» (págs. 174-175) y «Desde mi rincón» (págs. 218-220).
22. Cualidades, creo, entroncadas con el concepto unamuniano de la *intrahistoria*. (Véase A. de Albornoz, obra citada, pág. 121.)
23. Pág. 133.
24. De «*Castiella la gentil» exidos somos acá; Hides vos, Minaya, a «Castiella la gentil»?* (vs. 672 y 829, de *Cantar de Mío Cid. Texto, gramática y vocabulario,* de Ramón Menéndez Pidal, Madrid, Espasa-Calpe, 1969, 4.ª ed., III, págs. 1051 y 1057).

«forti sintagmi quasi precostruiti e incasellati nella tarsìa della patria, che è peculiare modo di Machado»[25]. En el que ahora comentamos, la síntesis que el poeta hace de Castilla obliga aún más a la concisión[26]: sintagmas sin verbos que son verdaderas fórmulas exclamativas adjetivales; versos bimembres paralelísticos:

mística y guerrera	Castilla la gentil
humilde y brava	Castilla del desdén

Castilla la gentil, como una fórmula que es, se asimila anafóricamente a *Castilla,* lo que permite de hecho la correlación formal de *humilde y brava* con *desdén* y *fuerza*:

A	Castilla	B	humilde y brava
A_1	Castilla la gentil	B_1	desdén y fuerza

III

Si Castilla se ofrece, aun en la distancia, sintética y rotunda, inequívocamente objetiva, la descripción de Andalucía responde a un hecho paradójico: el poeta, que se halla en medio del paisaje andaluz, ha de echar mano para cantarlo del mundo de los recuerdos. Es decir, ha de suplantar en cierto modo un paisaje real por otro que emerge de su mundo interior. Todo lo que en aquel momento tiene delante de los ojos (la luz, las palmeras, los olivares, los naranjos...) ha de pasar por el filtro del recuerdo y *desrealizarse,* con-

25. Obra citada, pág. 165.
26. En la descripción de Andalucía (vs. 11-28) Machado, desentendido de esa intención sintética y declarativa, adoptará módulos sintácticos más flexibles, menos estereotipados.

virtiéndose en *recuerdos de mi infancia* (la infancia parece funcionar como elemento integrador de todo lo demás, como si todo perteneciera a un mundo distante y casi perdido). *Recuerdos, imágenes, memorias,* términos inconcretos, evanescentes, que despojan de valor afectivo a la realidad inmediata [27]. He aquí un procedimiento muy machadiano: lo visto se presenta como evocado, se desrealiza para asumir una significación diferente [28]. *Imagen* es término clave que quiere expresar la distancia sentimental con el entorno. Y una gradación descendente que intensifica esa separación: *recuerdos* (v. 11), *despojos del recuerdo* (v. 33), *carga bruta* (del) *recuerdo* (v. 34).

La evocación de la infancia sevillana es una constante esencial en la obra poética de Machado y punto de arranque de sus más ricos símbolos: el huerto interior, la fuente, el agua, la topografía urbana de plazas y calles en soledad, los atardeceres lentos y calurosos... En su «Retrato» esos años se definen sólo por el *patio* (casi siempre asociado a la *fuente*) y el *huerto claro* con el *limonero* [29]. Otras veces la infancia se asocia a la luz [30], o al perfume de las plantas de la tierra sevillana [31]. Por eso ahora, cuando el poeta quiere expresar el rechazo de una nueva geografía poética, aún no posible, saltan al primer plano imá-

---

27. Antonio SÁNCHEZ BARBUDO quiere ver aquí un recurso de Machado: situar al mismo nivel de comparación a Soria y a Andalucía: «por eso, para comparar mejor, cierra por un momento los ojos a lo que ve... y evoca sus *recuerdos* de esa misma Andalucía. Ahora, pues, compara adecuadamente recuerdos y recuerdos» (*Los poemas de Antonio Machado. Los temas. El sentimiento y la expresión.* Madrid, Lumen, 1969, 2.ª ed., págs. 262-263). Yo me inclino más bien por la oposición: Castilla, a pesar de la distancia, es algo más *real* para Machado y por eso la presenta sin filtro alguno. Andalucía carece, por el contrario, de esa *concreción* en el alma del poeta y por ello ha de presentarla a través del velo de las *imágenes*.
28. La razón última de este fenómeno, viene a afirmar Aurora de ALBORNOZ, es que «Machado, nacido en Andalucía, mira las tierras andaluzas con ojos castellanos, aunque insista en hablarnos de sus recuerdos infantiles de Andalucía» (obra citada, pág. 142).
29. «Retrato», pág. 125.
30. «Esta luz de Sevilla...», pág. 289.
31. «El limonero lánguido suspende...», págs. 61-62.

genes y símbolos que ya habían desfilado por *Soledades* y por el primer *Campos de Castilla*. Se ha hablado de la condición recopiladora, de auténtico *digest* [32], de este poema. Un recuento detenido lleva a la conclusión de que se trata de una mezcla de paisaje imaginado y paisaje real, una acumulación de recuerdos infantiles y de visiones actuales [33]. Al lado de una serie de referencias de gran carga simbólica (el *agua*, el *huerto*, la *fuente*, la *tarde*), procedentes del trasfondo que viene desde *Soledades*, hallamos otras que, aunque guarden relación con la infancia evocada, pueden proceder también de un entorno real contemplado y vivido por el poeta en este reencuentro con su vieja tierra (la luz, las palmeras, los campanarios, las calles y plazas vacías, las plantas y flores olorosas, los olivares, las serranías...). Se amplían, pues, los límites de la topografía infantil y se da entrada, bajo apariencia de *imágenes*, a objetos y referencias del presente [34]. Todo está superpuesto, mezclado, si bien el *huerto* (con el *limonero* y la *fuente*) se halla en el centro de la enumeración, como ha indicado C. Segre [35]. Podríamos añadir algo más: la descripción paisajística va de lo exterior a lo interior, hasta desembocar en lo más íntimo y esencial, que son el huerto y la fuente [36]. Y a partir de ahí (vs.

---

32. Cesare SEGRE, *Sistema y estructuras en las «Soledades» de A. Machado*, en *Crítica bajo control*. Barcelona, Planeta, 1970, página 107; MACRI, obra citada, pág. 166.

33. «La visione nuova di Andalusía si sovrappone e si mescola con il ricordo e il senso della terra natale abbandonata a 9 anni di età, più sognata che vissuta nelle liriche dal 1899 alla morte di Leonor» (MACRI, pág. 39).

34. A los que el poeta, sin ninguna duda, logra cantar mucho mejor de lo que él mismo nos dice. Independientemente de su valor simbólico, la imagen impresionista que nos ha dejado del entorno urbano y rural de un lugar de Andalucía es ciertamente magistral.

35. Obra citada, pág. 107.

36. Este «itinerario» se repite varias veces en la poesía de Machado: el poeta vuelve la espalda al entorno urbano y se refugia en un jardín interior. (Véase el poema VI de *Soledades: Fue una clara tarde...*, pág. 59). Ese jardín interior es una variante del *parque viejo* modernista, íntimo y cerrado, separado del resto por la *vieja cancela*.

19-22), se vuelve de nuevo al paisaje exterior. De ese modo el *huerto* queda enmarcado entre referencias externas y muestra una vez más su condición de símbolo dominante dentro de la poética machadiana:

> Luz
> palmeras
> ciudades
> calles y plazas
> HUERTO
> olivares
> serranías
> tardes

Puede hablarse también de otra línea de composición, que va de la *luz* inicial a la *sombra,* para volver otra vez a la *luz* [37]:

> LUZ (*oro,* cielo *añil,* naranjos *encendidos*)
> SOMBRA (huerto *sombrío,* ramas *polvorientas,*
> *pálido*s limones)
> LUZ (*sol, arreboles*)

En la descripción de la topografía urbana se mezclan connotaciones alegres y esperanzadoras (la luz, las palmeras, los campanarios con cigüeñas [38], los *naranjos encendidos* [39]...) con otras más tristes, como

---

37. A la *luz* hay que añadir en el poema la función del *aroma.* Ambos elementos, junto al *sonido,* tienen una «amplia repercusión lírica». Sobre todo, la luz, que alcanza una extraordinaria significatividad en la poesía contemporánea, sobre la que gravita un deseo no logrado de revelación (= claridad) que impulsa a los poetas a remontarse a los orígenes de la humanidad en búsqueda de un paraíso perdido o que quizá no ha existido nunca» (Milagros ARIZMENDI, reseña a la obra citada de P. PALOMO, en «Prohemio», IV, 1-2, abril-septiembre 1973, pág. 245). La luz, pues, asociada con el tema del retorno a la infancia, al paraíso perdido y anhelado. (Véase la nota 44 de este comentario.)
38. Sobre el valor simbólico de la cigüeña en Machado, véase J. M. AGUIRRE, *Antonio Machado, poeta simbolista.* Madrid, Taurus, 1973, págs. 365-366.
39. *Con sus frutas redondas y bermejas* suscita el recuerdo de un verso de Baudelaire del poema «L'ennemi»: *Qu'il reste en mon jardin bien peu de fruits vermeils* (M. ÁLVAREZ ORTEGA, *Poesía sim-*

las *ciudades con calles sin mujeres* y las *plazas desier-*
tas, que, aparte su valor figurado[40], evocan la soledad
de los largos atardeceres veraniegos andaluces. No
olvidemos que más abajo el poeta hablará de un *tó-*
rrido sol que aturde y ciega, sol estival, aunque el
poema esté escrito en abril. La relación entre las
lentas tardes del verano y una topografía urbana de
calles y plazoletas desiertas es evidente en la obra
de Machado, sobre todo en *Soledades*[41]. Volvemos a
encontrar la desrealización del paisaje a que aludi-
mos antes: *abril* se hace *verano* porque así conviene
a la intención simbólica del poema. La sutil distin-
ción —¡tan andaluza!— entre el *aroma* de los nardos
y claveles y el *fuerte olor* de la albahaca y la yerba-
buena nos remite de nuevo a recuerdos reales de infancia y tal vez también a sugerencias del entorno
andaluz que está viviendo Machado.

Dos «imágenes» completan el paisaje urbano: los
olivares grises y las *azules y dispersas serranías.*
Dos referencias geográficas que Machado no necesita
en aquellos momentos extraer del baúl de sus recuerdos. La visión de Lora del Río, en el límite de
la campiña, al borde mismo del Guadalquivir, bien
pudo estimular otros recuerdos anteriores del poeta,
tal vez los azulados montes del Guadarrama o de la
Castilla soriana. El pueblo se perfila, en efecto, sobre
un lejano fondo azul de amables y *dispersas serranías*
que, junto a los *grises olivares,* pueden ser contem-
plados desde el tren. Entre Sevilla y Córdoba, a la
altura de Lora, puede observarse ese paisaje serrano,
amable y azul: son las primeras estribaciones de Sie-

bolista francesa. Madrid, Editora Nacional, 1975, pág. 32). También
Baudelaire evoca un pasado *Traversé çà et là de brillants soleils*
y sueña con *fleurs nouvelles.*
40. Son dos referencias asociadas a la idea de la vejez y la
muerte por el paso del tiempo. (Véase J. COLLANTES DE TERÁN, *Las*
«ciudades muertas». Hacia una topografía urbana en la poesía de
Antonio Machado, en «Archivo Hispalense», 1968, núms. 147-52, páginas 109-119.
41. Idem, pág. 118.

rra Morena, en la margen derecha del Guadalquivir, el comienzo de la Sierra Norte de Sevilla. Conviene recordar, a este respecto, que siete años antes (en abril de 1905), cuando *Azorín* va camino de Lebrija para escribir los artículos de *La Andalucía trágica,* al dejar atrás a Lora, esfumada en la lejanía, contempla, a la luz tenue del amanecer, «extensas praderías verdes, caminos que se alejan serpenteando en amplios recodos, tablares de habas, piezas de sembradura amarillenta. Y en el fondo, limitando el paisaje, un *amplio telón azul...*»[42]. Las *montañas azules* aparecen en la poesía de Machado desde las *Soledades*, fiel a la imagen del color azul que pusieron de moda los modernistas [43]. El color *azul* forma parte también de la geografía infantil del poeta y hay que relacionarlo con el tema del retorno a la infancia [44], que emerge de nuevo en nuestro poema.

El paisaje de interior es más rico en connotaciones simbólicas pues se asocian tres símbolos fundamentales en Machado: el *huerto*, la *fuente* y la *tarde*. Esta asociación introduce la nota nostálgica en el poema. Machado ha de recurrir a la vieja simbología de *Soledades* [45]. «El tema del huerto —dice Dámaso Alonso— tiene un constante valor simbólico en la poesía de Machado: es la ilusión —la bendita ilusión dorada— vista en el gozo y en el recuerdo infantil, en

---

42. *Los pueblos. La Andalucía trágica y otros artículos* (1904-1905). Madrid, Castalia, 1974, pág. 238.
43. Angel MARTÍNEZ BLASCO, *Los «montes de violeta» en la poesía de Antonio Machado*, en «Insula», núms. 344-345, julio-agosto 1975, pág. 24.
44. Se ha hablado de una especie de retorno proustiano de Machado a las fuentes de su niñez (P. PALOMO, obra citada, pág. 74), de un paisaje infantil que emerge como una constante angular en las situaciones críticas; así al borde de la muerte: *Estos días azules y este sol de la infancia* (pág. 658). *Aquel amor primero* que Cernuda evocó en «Tierra nativa» (*El encanto de aquella tierra llana, / Extendida como una mano abierta, / Adonde el limonero encima de la fuente / Suspendía su fruto entre el ramaje.*), la infancia sevillana, es en Machado «el paraíso perdido de la fe, la senda segura, la mano conductora o la pureza de un mundo virgen» (P. PALOMO, pág. 24).
45. El poema que más recuerda esta asociación simbólica es el VI: *Fue una clara tarde...*, pág. 59.

153

la virginidad auroral de la vida y proyectada también hacia el futuro»[46]. Pero también puede ser un tema trágico, «cuando el poeta contempla cortados los puentes imposibles del retorno»[47]. Por eso aquí se acentúa la nota sombría (frente al *huerto claro* de «Retrato») y la obsesión por el paso del tiempo (la palidez, lo polvoriento). La fuente como *espejo,* es decir, quieta, y el agua *clara*, sin movimiento, «marcan lo inalterable del tiempo»[48]. Pueden sorprender estas connotaciones en medio de un paisaje exterior alegre y luminoso pero creo que la explicación la da una vez más el hecho de que el poema signifique también la búsqueda de una infancia aún no recobrada. Pilar Palomo, al comentar el símbolo del *huerto claro*, ha señalado que la «claridad (esperanza, alegría, pureza), llega envuelta siempre en una connotación *nostálgica,* porque es el símbolo de cualidades perdidas en el tiempo. Y el presente, o el pasado no recuperado, se configura por el término contrario: *sombra*, en análoga connotación de desesperanza»[49].

El sol y la tarde aparecen juntos: un sol de verano y un atardecer arrebolado, es decir, crepuscular. También en *Soledades,* con idéntica formulación:

> El sueño bajo el sol que aturde y ciega,
> tórrido sueño en la hora del arrebol[50]

La tarde de verano suele ir asimilada en Machado al significado de hastío y muerte[51]. Son tardes lentas, inacabables. Aquí, en bella sinestesia, *inmensas*. Y ligadas, como ya hemos señalado, a una topografía ur-

46. *Poesías olvidadas de Antonio Machado,* en *Poetas españoles contemporáneos.* Madrid, Gredos, 1965, 3.ª ed., pág. 135.
47. Idem, pág. 133.
48. P. PALOMO, pág. 69.
49. Idem, pág. 69.
50. Pág. 89.
51. Así en el poema VI de *Soledades* (pág. 59), tantas veces citado aquí; «En el entierro de un amigo» (pág. 57) y en otros muchos.

bana solitaria, en la que no falta tampoco una observación que, a más de descriptiva, puede encubrir todo un juicio de valor: «de ciudades con calles *sin mujeres*» (¿debemos considerar ese verso sólo como mera denotación paisajística, como pura descripción, asociada desde luego a la idea de *soledad*, o supone también una intencionada apreciación de orden social que el poeta no ha querido dejarse en la cartera? La imagen de la mujer celada, oculta a los ojos ajenos, va ligada a un contexto y a una «geografía» orientales, tópicamente asimilados a la vida andaluza. El detalle es de buen observador: la ausencia de mujeres era, sin duda, uno de los contrastes que Machado percibió inmediatamente en las calles andaluzas a su vuelta de Castilla).

IV

Casi al final del poema Machado nos comunica la quiebra de sus recuerdos andaluces:

Mas falta el hilo que el recuerdo anuda
al corazón, el ancla en su ribera,
o estas memorias no son alma. Tienen,
en sus abigarradas vestimentas,
señal de ser despojos del recuerdo,
la carga bruta que el recuerdo lleva.

Es patente, en sólo seis versos, la reiteración obsesiva *recuerdo - memorias - recuerdo* (despojos del) - *recuerdo* (la carga bruta que el). El recuerdo —dice el poeta— sólo podrá ser *alma* si existe el hilo que lo anude al corazón. Y ese *ser alma* «sono le condizioni del canto —como dice Macrì— dopo l'epos soriano» [52]. Hemos de recordar de nuevo la identificación Castilla-Leonor-Machado y la imposibilidad de iniciarse en una

---

52. Obra citada, pág. 166.

nueva geografía sentimental que le permita cantar: «Antonio Machado vive para recordar. Pero, como él dice, le falta ya el hilo que anuda el recuerdo al corazón y convierte en alma sus despojos, las memorias» [53]. Es la «sequedad», expresada en varios poemas de la misma época:

> ¿Por qué, decísme, hacia los altos llanos
> *huye mi corazón de esta ribera...*
> ....
> Mi *corazón* está donde ha nacido,
> no a la vida, al amor, cerca del Duero... [54]

Y en «Otro viaje» por los campos de Jaén:

> Soledad,
> sequedad.
> Tan pobre me estoy quedando,
> que ya ni siquiera estoy
> conmigo, ni sé si voy
> conmigo a solas viajando [55].

Sequedad que para Dámaso Alonso es realmente decisiva en la vida de Machado, pues «esa incapacidad creativa ya no habría de cesar nunca» en él [56]. Hay, sin embargo, una matización de la idea de *recuerdo,* una cierta rehabilitación de la palabra que permite algunas precisiones. Los versos 31-34 pueden aclararnos algo más el verdadero sentido de la sequedad: lo que el poeta describe realmente no son los *recuerdos* sino sus despojos, la *carga bruta* que los acompaña. La evocación es un recurso constante en la lírica machadiana. Mal podría, pues, renegar ahora de

53. J. Luis L. ARANGUREN, *Esperanza y desesperanza de Dios en la experiencia de Antonio Machado,* en *Antonio Machado. El escritor y la crítica,* obra citada, pág. 301.
54. Pág. 285.
55. Págs. 181-182.
56. En *Fanales...,* ed. citada, págs. 150-151.

algo tan esencial. Comparto con Sánchez Barbudo la idea de que lo que sucede es que «esos recuerdos que fueron alma, no son alma *ahora,* porque algo lo impide»[57]. Es decir, no es posible al poeta sustraerse del todo a la mitología soriana. Los *recuerdos,* desasidos del corazón, desanclados, dejan en realidad de ser tales recuerdos y no sirven, por tanto, para cantar. No hay materia poética posible fuera de esa mitología soriana que, sin embargo, pronto irá quedando atrás. En este sentido este poema ocupa una posición ciertamente angular en la evolución poética de Machado: un momento de relativa desorientación, de ansiedad por hallar nuevos caminos que definitivamente acabará por encontrar. Sólo así pueden entenderse estos versos a primera vista tan secos y despreciativos para Andalucía y que en realidad son la expresión dramática de un estado de ánimo que el poeta se esfuerza en superar. *Abigarradas* (v. 32) es un vocablo sugerente que confirma, a mi juicio, la ausencia en el poema de un verdadero *cuadro* paisajístico andaluz: se trata, no de un verdadero paisaje, como el de Castilla, sino de la simple superposición de objetos dispersos, reales unos, imaginados otros. No son dos modalidades paisajísticas las que se enfrentan en el poema sino más bien la contraposición PAISAJE / AUSENCIA DE PAISAJE.

Como Machado no es capaz de objetivarse en el paisaje andaluz, éste se impregna de connotaciones subjetivas, muy marcadas por la adjetivación[58], como es usual en los poemas de *Soledades.* Doble adjetivación (*redondas y bermejas; azules y dispersas...*); fórmulas adjetivales que eluden su apariencia epitética (limones *amarillos; grises* olivares; *tórrido* sol; agua *clara;* huerto *sombrío*), pues están cargadas de

---

57. Obra citada, pág. 263.
58. «Su adjetivación es casi siempre cualificadora, singularizante, rara vez definidora, sobre todo porque corresponde a una intención de subjetivar el paisaje, de convertirlo en paisaje del alma» (Ramón de ZUBIRÍA, *La poesía de Antonio Machado.* Madrid, Gredos, 1973, 3.ª ed., pág. 160).

significación simbólica. La versificación conserva todavía un tono modernista (esdrújulos, aliteraciones, reiteraciones fónicas) que se une al gusto por un léxico escogido (*lueñes, bermejas, tórrido, arreboles...*). La *enumeratio* de los versos 11-28 se expresa con una sintaxis demorada, ágil (encabalgamientos), con encaje natural en una forma estrófica tan libre como la silva arromanzada, muy del gusto de Machado en *Campos de Castilla*.

V

Un día tornarán, con luz del fondo ungidos,
los cuerpos virginales a la orilla vieja.

Estos dos últimos versos suponen una cierta sorpresa para el lector, tanto porque rompen el sencillo esquema sintáctico que dominaba hasta entonces en el poema como por la quiebra de la línea estrófica, que se ve de pronto interrumpida por dos alejandrinos rotundos y solemnes. Se establece asimismo un corte en la línea temática ya que, después de la clara enumeración de objetos y lugares andaluces, nos hallamos inesperadamente frente a unos conceptos (*luz del fondo, cuerpos virginales, orilla vieja*) cuyo simbolismo viene envuelto en cierto ropaje esotérico que no permite interpretaciones tan claras como las de los símbolos ya conocidos del *huerto,* la *fuente,* el *agua* o la *tarde.*

Se trata, en efecto, de dos versos cuyo último sentido roza lo enigmático para la crítica especializada. Un editor tan escrupuloso como Macrì los considera «due versi vagamente sibillini» [59], y Sánchez Barbudo, que reconoce en ellos «el encanto de una rara joya», piensa, sin embargo, que son «bastante oscuros» [60].

---

59. Obra citada, pág. 166.
60. Obra citada, pág. 263.

Un tercer testimonio, el de Dámaso Alonso, confirma lo que decimos: «... *con luz del fondo ungidos*, palabras que son tan profundas como cuando más en la voz humana se hayan mezclado en agua densa la fe, la emoción, la esperanza y el sueño»[61].

Una vez más, la posible interpretación debe partir de poemas anteriores. El anhelado retorno de los *cuerpos virginales* aparece ligado al concepto machadiano de la *orilla vieja*. Machado, tan clásico en muchas cosas, ha recreado en varios poemas los viejos símbolos viajeros del mito de Caronte: la muerte como viaje sobre la nave *que nunca ha de tornar*[62], etcétera. En nuestro poema los recuerdos *sin alma*, es decir, los recuerdos muertos, están *desanclados* de su *ribera*. Simbología marinera tan reiterada en Machado como en su hermano Manuel y ligada, como en Manrique, a la imagen itinerante del río. Un poema de *Soledades* puede acercarnos a la clave de lo que Machado entiende por *orilla vieja:*

> Daba el reloj las doce... y eran doce
> golpes de azada en tierra...
> ...¡Mi hora! —grité—. ...El silencio
> me respondió: —No temas;
> tú no verás caer la última gota
> que en la clepsidra tiembla.
>
> Dormirás muchas horas todavía
> sobre la *orilla vieja,*
> y encontrarás una mañana pura
> *amarrada tu barca a otra ribera*[63].

Al contraponer la *orilla vieja* (*viejo* es uno de los vocablos más repetidos por Machado en su obra y «por numerosas indicaciones parece que la palabra

---

61. *Poesías olvidadas...*, ed. citada, pág. 134.
62. Véase Ricardo GULLÓN, *Una poética para Antonio Machado.* Madrid, Gredos, 1970, págs. 38 y ss.
63. Pág. 72.

posee para el poeta un halo connotativo que la une con el significado de soledad, de melancolía») [64] a la *otra ribera,* se establece la oposición *vida / muerte.* El poeta expresa una esperanza de retorno que debe llegar tras una cierta purificación (*con luz del fondo ungidos*). ¿Retorno de qué o de quién? ¿Qué debemos entender por *cuerpos virginales?* En las *Soledades,* al insinuar el tema de la muerte, Machado la había presentado como una amada de *pura veste blanca* [65], tópica alusión a lo puro, a lo virginal. La *unción* es, por otra parte, una palabra que connota lo sacro (*con luz del fondo ungidos*) y que también la hallamos en poemas anteriores [66]. Varios críticos relacionan estos versos con el tema del retorno a la infancia: «hay una fe aún, una creencia en el retorno, porque paraíso es para el poeta retorno a esa luz de infancia» [67]. Macrì parece interpretarlos como el retorno de algo interior al poeta mismo: «alludono a una necessaria stratificata permanenza nella sacra intimità dell'anima, dalla quale quelle immagini di vergine felicità evaderanno un giorno per toccare l'antica riva» [68].

Hay quien inscribe los dos versos en el complejo problema de la religiosidad de Machado, que tras la muerte de Leonor experimenta, con la esperanza de recobrarla, «un intento de acercamiento a Dios» [69]. Sería la posibilidad de un retorno de Leonor y de todo lo que ella representa para el poeta [70]. La famo-

---

64. Alessandro FINZI, *El análisis numérico como instrumento crítico en el estudio de la poesía de Antonio Machado,* en «Prohemio», I, 2, septiembre 1970, pág. 215.
65. «Amada, el aura dice...», pág. 65.
66. En el poema XXVI de *Soledades* (pág. 75) habla de *mendigos harapientos / sobre marmóreas gradas; / miserables ungidos / de eternidades santas...,* donde parece establecerse una relación similar a la que existe entre *abigarradas vestimentas - despojos - carga bruta,* y *cuerpos virginales* por otra parte.
67. D. ALONSO, *Poesías olvidadas...,* pág. 134.
68. Obra citada, pág. 166.
69. A. de ALBORNOZ, obra citada, pág. 242.
70. «Sobreviene la muerte de la joven esposa, de Leonor. Y es, de toda su vida, entonces, a mi entender, cuando Antonio Machado estuvo más cerca de Dios. A Miguel de Unamuno le levantaba la fe el ansia de inmortalidad. A Antonio Machado, por estos años

sa carta a Unamuno de 1913 ?, tan comentada, parece ilustrar en prosa este último sentido de los versos [71].

En cualquier caso, Leonor siempre al fondo sin nombrarla, como en tantos poemas de esa época. Claudio Guillén, al analizar la función poética del procedimiento «elusivo» en Machado, señala cómo en «A José María Palacio», la presencia de Leonor, indirectamente aludida, opera como un «mecanismo de ampliación temática» [72]. Aquí sucede algo similar, sólo que con mayor dosis de símbolos: el poema entero se carga al final de sentido con esta misteriosa alusión al dolor del poeta. Y éste, inmerso aún en la mitología del paisaje soriano, no encuentra la razón del canto más que en la vuelta de Leonor. No es posible cantar a un nuevo paisaje que hasta el momento no es tal. El refugio en el jardín interior de su infancia ha de pasar —así al menos lo siente entonces el poeta— por el luminoso retorno de su amada.

Esperanza del retorno a la infancia (es decir, posibilidad de recrear esa felicidad virgen y pura de las imágenes infantiles) o esperanza de resurrección (vuelta de Leonor) vienen en definitiva a confluir en un solo punto: el problema de la creación poética. El último sentido del poema no puede ser otro que el de la dificultad que siente Machado para iniciarse por una nueva senda. Su refugio en las lecturas filosóficas,

---

de 1912 y 1913, la dulce esperanza de recobrar, algún día, a la amada muerta» (J. L. L. ARANGUREN, obra citada, pág. 300).

71. «Mi mujer era una criatura angelical segada por la muerte cruelmente. Yo tenía adoración por ella; pero sobre el amor está la piedad. Yo hubiera preferido mil veces morirme a verla morir, hubiera dado mil vidas por la suya. No creo que haya nada extraordinario en este sentimiento mío. Algo inmortal hay en nosotros que quisiera morir con lo que muere. Tal vez por esto viniera Dios al mundo. Pensando en esto, me consuelo algo. Tengo a veces esperanza. Una fe negativa es también absurda. Sin embargo el golpe fue terrible y no creo haberme repuesto. Mientras luché a su lado contra lo irremediable me sostenía mi conciencia de sufrir mucho más que ella, pues ella, al fin, no pensó nunca en morirse y su enfermedad no era dolorosa. En fin, *hoy vive en mí más que nunca y algunas veces creo firmemente que la he de recobrar.* Paciencia y humildad.» (pág. 917).

72. Obra citada, pág. 484.

sus meditaciones sobre la esencia y los problemas de la lírica ilustran también por aquellos años de Baeza un momento de sequedad del que el gran poeta sevillano logró finalmente salir con sus *Nuevas Canciones* y su sorprendente obra en prosa.

EN TORNO A

"DEL PASADO EFIMERO"

DE ANTONIO MACHADO

por

CARMEN DE MORA VALCÁRCEL

DEL PASADO EFIMERO

Este hombre del casino provinciano,
que vio a *Carancha* recibir un día,
tiene mustia la tez, el pelo cano,
ojos velados de melancolía;
5   bajo el bigote gris, labios de hastío,
y una triste expresión que no es tristeza,
sino algo más y menos: el vacío
del mundo en la oquedad de su cabeza.
Aún luce de corinto terciopelo
10   chaqueta y pantalón abotinado,
y un cordobés color de caramelo,
pulido y torneado.
Tres veces heredó; tres ha perdido
al monte su caudal; dos ha enviudado.
15   Sólo se anima ante el azar prohibido,
sobre el verde tapete reclinado,
o al evocar la tarde de un torero,
la suerte de un tahúr, o si alguien cuenta
la hazaña de un gallardo bandolero,
20   o la proeza de un matón, sangrienta.
Bosteza de política banales

dicterios al gobierno reaccionario,
y augura que vendrán los liberales,
cual torna la cigüeña al campanario.
25 Un poco labrador, del cielo aguarda
y al cielo teme; alguna vez suspira,
pensando en su olivar, y al cielo mira
con ojo inquieto, si la lluvia tarda.
Lo demás, taciturno, hipocondríaco,
30 prisionero en la Arcadia del presente,
le aburre; sólo el humo del tabaco
simula algunas sombras en su frente.
Este hombre no es de ayer ni es de mañana
sino de nunca; de la cepa hispana
no es el fruto maduro ni podrido,
35 es una fruta vana
de aquella España que pasó y no ha sido,
esa que hoy tiene la cabeza cana.

El poema es una crítica del «señoritismo» español
concebida a través de un excelente retrato del «señorito» rural. Pertenece al libro *Campos de Castilla* en
su versión ampliada de 1917; fue publicado en *El Por-
venir Castellano* el 6 de marzo de 1913 bajo el título
«Hombres de España. (Del pasado superfluo)», sin
fecha. En *Poesías completas*, 1917, figura con el número CXXXI y se intitula «Del pasado efímero». El
texto de 1917 presenta algunas variantes con respecto
al de 1913 que afectan sobre todo a la puntuación,
mas no al contenido poético [1].

---

1. Reproduzco aquí las variantes más significativas:
     Texto publicado en 1913
v. 9=Aún se le ve lucir de terciopelo
v. 11=el domingo, y color de caramelo
v. 12=un cordobés pulido y torneado
v. 17=al evocar la tarde de un torero
v. 24=cual forma la cigüeña al campanario

⟶

Un examen somero del título original «Hombres de España» revela esa inquietud patriótica de Antonio Machado que arraiga en el libro *Campos de Castilla,* ya citado. Ambos conceptos, humanismo y patriotismo, configuran armoniosamente el conjunto poético que vamos a comentar.

La estructura se compone de tres partes irregularmente distribuidas en un total de treinta y ocho versos. La primera, que comprende del verso 1 al 12, tras una breve introducción de dos versos nos brinda un retrato físico del señorito rural; en la segunda, del verso 13 al 32, el poeta describe magistralmente sus rasgos caracterológicos como paradigma de una determinada especie social. Finalmente, la conclusión o parte tercera, está formada por seis versos; estructuralmente es un añadido, aunque recoge elementos que ya aparecen al principio del poema y, de este modo, queda relacionada con lo anterior; viene a ser una reflexión sobre las consecuencias que se derivan de cuanto sugieren los treinta y dos versos precedentes.

Estas tres separaciones o divisiones rigen un apoyo diferencial de tipo métrico. En efecto, la materia poética correspondiente a la caracterización física y moral del señorito discurre por una línea homogénea de ocho cuartetos endecasílabos en rima consonante sólo interrumpida por un verso heptasílabo en el tercer cuarteto que marca el tránsito de una a otra. Por su posición de broche en esta que hemos denominado primera parte, el verso heptasílabo constituye para el perceptor una alarma métrica que anuncia algo diferente. Fenómeno muy similar constatamos en la tercera parte: para revelar la culminación del climax o gradación de los versos que preceden el poeta in-

---

Texto de 1917

Aún luce de corinto terciopelo
y un cordobés color de caramelo
pulido y torneado
o al evocar la tarde de un torero
cual torna la cigüeña al campanario.

tercala un dístico antes del último cuarteto y, dentro de éste, otro heptasílabo subraya, junto con el encabalgamiento final, el verso quizá más significativo en el poema. Los encabalgamientos suaves de los versos 7-8, 18-19, 21-22, proporcionan gran elasticidad rítmica a las enumeraciones de las dos primeras partes.

Los elementos, muy numerosos, que componen tan extenso poema pueden desdoblarse teniendo en cuenta que constituyen un tipo de estructura aditiva: a un elemento inicial se van añadiendo elementos que, entre sí, son independientes y que dependen todos del primero. En esquema:

Elemento principal	Elementos secundarios
$X =$ Este hombre del casino provinciano	Todos los elementos restantes del poema que constituyen el desarrollo de $X =$ $X_1, X_2, X_3, \ldots X_n$ X_1 — que vio a Carancha X_2 — tiene mustia la tez X_3 — Aún luce de corinto X_4 — Tres veces heredó X_5 — Sólo se anima ante el azar prohibido X_6 — bosteza de política banales dicterios X_7 — Un poco labrador del cielo aguarda X_8 — Lo demás le aburre X_9 — Este hombre es una fruta vana

Evidentemente, los elementos principales de esta estructura son el primero y, de los secundarios, el noveno cuyo contenido semántico engloba el de los versos precedentes. Todo el poema es como un gran paréntesis entre el primer verso y este otro que cierra el conjunto.

La composición se abre con el demostrativo «este», palabra que por su posición y su contenido deíctico presenta unos caracteres muy peculiares. En primer lugar, establece una referencia personal en torno a la primera persona que sitúa al referente próximo al hablante, el poeta, en este caso; posee, además, una cualidad determinante; pero el rasgo estilístico más notable es sin duda el valor generalizador y universal que prestan al demostrativo las frases adjetivas de los versos primero y segundo. En virtud de ello, «este hombre» se convierte en una pauta, en el prototipo de esa especie social que frecuenta las plazas de toros y los casinos rurales.

Este procedimiento de encajar al objeto poético en el interior de un marco, tal como ocurre en el primer verso, le proporciona un carácter vivido, al mismo tiempo que presta concreción al objeto nombrado. Función análoga a la deixis de presencia («este») y al escenario («casino provinciano») satisface el apodo del segundo verso («Carancha»), tan lleno de resonancia y alusiones temporales que excluyen la mera evocación abstracta [2].

El recurso, frecuentísimo en Antonio Machado, de traer a presencia no implica la proximidad afectiva del poeta al objeto de que se trata; de este modo, en el desarrollo de la poesía que hemos elegido ese acercamiento inicial queda contrarrestado merced a una

2. «Carancha», originalmente «Cara-Ancha», es el nombre artístico de un famoso matador de toros, José Sánchez del Campo, nacido en Algeciras (Cádiz) el 8 de mayo de 1848. Fue rival de Lagartijo y Frascuelo. El toro con quien ejecutó por vez primera con éxito la suerte de matar recibiendo —es decir, cuadrándose el diestro y conservando esta postura, sin mover los pies al dar la estocada y resistiendo la embestida— se llamaba «Calceto». La faena que realizó ante aquel bravo animal —el 19 de junio de 1881— resonó y se comentó largo tiempo en toda España. El 25 de septiembre realizó la mejor labor de su vida torera en la suerte de recibir. La corrida hizo época y quedó como efeméride notable en la historia del toreo. (Resumen extraído de José María de Cossío, *Los toros*, tomo III, Madrid, 1943, pág. 884.)

técnica de distanciamiento muy eficaz: la ironía. Veamos cómo funciona ya desde el segundo verso: se nos está presentando a un personaje, y la primera nota relevante es que «vio a Carancha recibir un día»; a través de ella el poeta alude a la afición excesiva del señorito por el arte taurino, además, la frase, por su posición —téngase en cuenta que junto con el primer verso posee un carácter introductorio, de presentación—, adquiere una importancia desmesurada en comparación con su contenido significativo fuera del contexto poético.

Tras esta breve obertura, los versos que rematan la primera estrofa y los dos cuartetos siguientes ofrecen en una sucesión de sustantivos y adjetivos bien precisos la apariencia exterior del señorito provinciano basada en dos elementos: el rostro y el atuendo. La adjetivación que califica al primero obedece a representaciones de algo que se extingue, de algo ya viejo y caduco: «mustia», «cano», «velados de melancolía», «gris», «de hastío», «triste»; al recaer sobre ellas la acentuación de los endecasílabos quedan realzadas e intensificadas. Sencillez y sobriedad de expresión en estos ocho versos: los elementos van entrando paulatinamente en el campo visual del receptor en una auténtica gradación enumerativa, como si el poeta estuviera describiendo a una persona que se encontrara en presencia suya [3]: primero, el marco circunstancial, a continuación, el rostro, el cabello, los ojos, el bigote, los labios... Y todo ello casi sin apoyo verbal —tan sólo hay una oración cuyo núcleo verbal es «tiene»—, se resuelve a base de nombres. Pero el poeta parece no conformarse con tan sombrío retrato, pues, una vez más, entra en juego la distancia afectiva ajustando el sentido de los adjetivos enumerados a un tono irónico:

---

3. En realidad es muy probable que este personaje fuera uno de los muchos que debían frecuentar el casino de Baeza, adonde también solía concurrir nuestro poeta.

y una triste expresión, que no es tristeza,
sino algo más y menos: el vacío
del mundo en la oquedad de su cabeza [4]

El estilo demodelor de estos versos, que, sin duda, cuenta con una larga tradición en la poesía española, reaparece en otro poema machadiano titulado «Llanto de las virtudes y coplas por la muerte de Don Guido», sátira dirigida también contra el caballero andaluz bajo fórmulas expresivas muy similares:

El acá
y el allá,
caballero,
se ve en tu rostro marchito,
lo infinito:
cero, cero.

(*Campos de Castilla*, CXXXIII, pág. 193.)

Este tono incisivo y mordaz aparece suficientemente justificado si repasamos la biografía del poeta por aquella época. Son los años de Baeza, desorientadores para Antonio Machado; la monotonía de esa vida provincial espiritualmente vacua queda plasmada, entre otras, en una carta que escribió a Unamuno en 1913 en la que confiesa: «Cuando se vive en estos páramos espirituales, no se puede escribir nada suave, porque necesita uno la *indignación* para no helarse también» [5].

Con el adverbio «Aún» que inicia el verso noveno irrumpe la temporalidad en el poema señalando la presencia del pasado en el presente:

    4. Para todas las poesías de Antonio Machado que aparecen en este comentario he manejado la edición de *Antonio Machado. Obras. Poesía y Prosa*, reunida por Aurora de Albornoz y Guillermo de Torre, Buenos Aires, editorial Losada, 1964.
    5. Manuel García Blanco, *En torno a Unamuno*, Madrid, Taurus, 1965, pág. 229. (El subrayado es mío.)

Aún luce de corinto terciopelo
10   chaqueta y pantalón abotinado,
y un cordobés color de caramelo,
pulido y torneado.

El atuendo a la usanza andaluza exterioriza un espíritu conservador, ya caduco, obstinadamente apegado a ciertas tradiciones de su tierra, que ostenta con cierto orgullo.

Los elementos agrupados en la segunda parte de nuestra división dependen de la siguiente formulación expresiva: «Sólo se anima ante... lo demás... le aburre». Los versos 13 y 14 introducen la caracterización psicológica del personaje, como ocurría en la primera parte: amante del juego y derrochador, este hombre vive de la fortuna heredada, no de su trabajo. Es muy posible que de forma sutil el poeta pretendiera relacionar en estos dos versos la herencia con la viudez, o, lo que es lo mismo, el matrimonio con el dinero:

Tres veces heredó; tres ha perdido
al monte su caudal; dos ha enviudado.

Esta hipótesis se confirma en mayor o menor grado si verificamos su comparación con otros versos de las «Coplas por la muerte de Don Guido»:

Y asentóla
de una manera española,
que fue casarse con una
doncella de gran fortuna;

A continuación, el poeta, con trazos sobrios pero certeros, ubica a nuestro personaje en un entorno social de figuras y hechos particularísimos de aquella «España de charanga y pandereta» que rememora en otro lugar: *el azar prohibido, el verde tapete, la tarde*

de un torero, la suerte de un tahúr, la hazaña de un
bandolero o la sangrieta proeza de un matón. Atrae
inmediatamente nuestra atención la enorme economía
lingüística de este mensaje. A través de un lenguaje
puramente denotativo que, en su mayor parte, es un
simple nombrar sin verbo, van apareciendo en visión
fragmentada unos elementos singularizados, individuales, que luego se coordinarán en un conjunto: «es
una fruta vana».

¿Qué recursos se han utilizado para producir tales
efectos de concisión en el material léxico?

Fundamentalmente una adecuación lógico-semán-
tica entre los sustantivos y adjetivos empleados; ¿qué
tarde puede evocar este hombre si no es la de un
torero, o qué proeza más admirable para él que la
de un matón o un bandolero?

Conforme estas visiones se van ensamblando y su
sentido precisándose más cada vez, la ironía se acentúa: al principio, se han ido describiendo detalles, ilu-
minando este o aquel aspecto de su personalidad; sin
embargo, poco a poco van surgiendo los profundos
trazos que realmente provocaron el impacto en el
poeta y le impulsaron a escribir una crítica semejante;
así ocurre cuando satiriza las inquietudes políticas y
religiosas del señorito:

> Bosteza de política banales
> dicterios al gobierno reaccionario,
> y augura que vendrán los liberales,
> cual torna la cigüeña al campanario.

El bostezo, la caducidad y el vacío mental son
los rasgos fundamentales de la España oficial que
Machado contempla, como apunta Laín Entralgo[6]. El
falso liberalismo del hombre del casino no es más que
la «licencia carnal» de que habla Unamuno: el gusto

---

6. Cfr. Pedro Laín Entralgo, *La generación del noventa y ocho,*
Buenos Aires, Espasa-Calpe, 1947, pág. 101.

por la bebida, el juego y las mujeres. Otro tanto podemos afirmar de sus «desvelos» religiosos cifrados en su provecho personal:

> 25 Un poco labrador, del cielo aguarda
> y al cielo teme; alguna vez suspira
> pensando en su olivar, *y al cielo mira*
> *con ojo inquieto, si la lluvia tarda.*

Nos aproximamos ya al final de toda esta gradación o enumeración escalonada de términos, siempre marcada por la ironía, que convergen en el último elemento de la serie.

El penúltimo cuarteto, sarcástico contrapunto de los versos analizados, apura la descripción acerca de la vacuidad que invade al personaje: frente a las pequeñas cosas que le animan, «lo demás», es decir, todo, «le aburre»; e intensifica su efecto con otros dos versos no menos incisivos:

> ...; sólo el humo del tabaco
> simula algunas sombras en su frente

El verso 33 emprende una línea distinta en la composición. Afina el juicio del poeta y las conclusiones que se derivan del mensaje poético. ¿Cómo se manifiesta desde el punto de vista expresivo el nuevo giro?

Principalmente reproduciendo la frase inicial del primer verso: «este hombre»; por otra parte, la polisíndeton como repetición de una misma construcción sintáctica es recurso estilístico que trasciende en un tempo lento en contraste con la elasticidad rítmica del resto de la poesía:

> no es... ni es... sino...
> no es... ni es... es...

El tono ha cambiado; se ha hecho ligeramente

más amargo, y no es difícil imaginar en estos versos el fastidio de un hombre de formación liberal como Antonio Machado ante este «señoritismo» que él consideraba una «enfermedad epidérmica», fruto de una educación «perfectamente antiespañola», símbolo de la España del presente vieja y caduca mantenida a toda costa por la España oficial y que el poeta quisiera ver suplantada por otra que aún está naciendo, la auténtica [7].

En virtud de tales procedimientos el perceptor advierte que se halla ante el último componente de la gradación mantenida; decimos que es el último porque expresa de modo explícito lo que apuntaban ya los términos graduales: el vacío espiritual y la decadencia que concurren en este tipo social, verdadera plaga que aún, en la España del poeta, no ha desaparecido:

> es una fruta vana
> de aquella España que pasó y no ha sido,
> esa que hoy tiene la cabeza cana.

A juicio de Laín Entralgo representa la fracción del progresismo decimonónico acomodada a la Restauración, mientras que Don Guido, estampa del señorito andaluz, representaría al caballero sostenedor de las tradiciones conservadoras [8].

El poema ha ido politizándose gradualmente añadiendo a los ragos particulares que se describen otros de orden general que culminan en el verso 37: «de esa España que pasó y no ha sido», y cuyo complemento o continuación se halla en «El mañana efímero». Esta composición, adscrita igualmente a *Campos de Castilla*, repite un estribillo que resultaría a modo de enlace entre ambas composiciones:

---

7. Cfr. Antonio Machado, *Poesía y Prosa varia de la guerra*, en *Antonio Machado. Obras. Poesía y Prosa*, edición ya citada, pág. 677.
8. Cfr. Pedro Laín Entralgo, op. cit., págs. 100-101.

> el vacuo ayer engendrará un mañana
> vacío y ¡por ventura! pasajero

o bajo esta otra forma:

> el vacuo ayer dará un mañana huero.

La relación que hallo entre los dos poemas podría sistematizarse según la siguiente correspondencia:

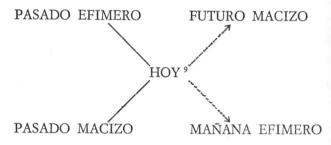

PASADO EFÍMERO   FUTURO MACIZO

HOY [9]

PASADO MACIZO   MAÑANA EFÍMERO

Existe, sin embargo, una diferencia importante entre ambos. En «Del pasado efímero» el poeta abstrae unos rasgos del señorito rural, y sobre esta base generaliza, lo convierte en una muestra de «aquella España que pasó y no ha sido» o, lo que es lo mismo, de «la España de charanga y pandereta»; la generalización que en el poema comentado abarca apenas un cuarteto, en «El mañana efímero» constituye el motivo central:

> La España de charanga y pandereta,
> cerrado y sacristía,
> devota de Frascuelo y de María,
> de espíritu burlón y de alma quieta,
> 5 ha de tener su mármol y su día,
> su infalible mañana y su poeta.

---

9. «Hoy» representa el punto de referencia, que es la visión personal del poeta, su presente.

Junto a ella, los últimos versos permiten vislumbrar un hálito de esperanza.

35   Mas otra España nace,
        la España del cincel y de la maza,
        con esa eterna juventud que se hace
        del pasado macizo de la raza.
    (*Campos de Castilla,* CXXXV, págs. 196-197.)

Estas dos poesías que hemos confrontado señalan una forma distinta de temporalidad en la lírica machadiana: la temporalidad histórica, a través de ella estima Antonio Machado los destinos de la Patria. En este sentido, cabe resaltar como nota distintiva de *Campos de Castilla* y, en consecuencia, de las composiciones mencionadas, el carácter opresor que el pasado ejerce sobre el presente. Y ello ocurre no sólo en estas críticas socio-políticas, sino al evocar algún paisaje histórico, porque, como afirma Blanco Aguinaga, este paisajismo «es vía de entrada crítica en la historia, y no evasión esteticista» [10].

Esta inquietud por la realidad nacional patente en su poesía le vincula estrechamente con la generación del noventa y ocho [11]. Por de pronto, la conexión existente entre Antonio Machado y Unamuno ha sido sagazmente estudiada por Aurora de Albornoz en su interesantísimo libro *Presencia de Miguel de Unamuno en Antonio Machado.* Allí, en el capítulo titulado *Hombres de España,* analiza las correspondencias en-

10. Carlos Blanco Aguinaga, *Juventud del 98,* Madrid, editorial siglo XXI, 1970, pág. 321.
11. Así lo afirma Federico de Onís: «En la poesía pura de Machado cabe el mundo objetivo de las realidades y de las ideas: los paisajes concretos de la alta tierra soriana, la visión de la historia dormida en las realidades nacionales y el ideal político de su generación, los problemas filosóficos y religiosos. Estos temas tan característicos del modernismo —o del 98, como suele decirse en España—, le enlazan estrechamente con Unamuno, «Azorín» y Baroja; por otros aspectos de su emoción y expresión poética se enlaza también con el simbolismo y con Rubén Darío». (Federico de Onís, *Antología de la poesía española e hispanoamericana,* Madrid, Centro de Estudios Históricos, 1934, pág. 260.)

tre estos dos autores en cuanto al concepto del «señorito». Una prueba más para conocer de cerca la impresión que este espécimen social producía en el poeta sevillano es el testimonio de la primera carta que escribe a Unamuno desde Baeza. Muchos de los temas tratados en ella reaparecen en «Del pasado efímero» [12].

En 1916 escribía Unamuno un poema que viene a ser una réplica a «Del pasado efímero»; al parecer, había permanecido inédito algún tiempo hasta que García Blanco se encargó de su publicación, como él mismo aclara: «Encuentro cierta semejanza temática entre esta poesía de Machado con otra posterior de Unamuno, la titulada «El hombre del chorizo», que he exhumado recientemente en mi libro *Don Miguel de Unamuno y sus poesías,* Salamanca, 1954, pág. 408» [13]. Aurora de Albornoz sugiere que quizá lo más machadiano del poema de Unamuno sea el hacer andaluz a ese hombre provinciano del que ya había escrito suficientemente en prosa mucho antes que Machado [14].

---

12. Seleccionamos de ella algunos fragmentos: «Esta Baeza... es la comarca más rica de Jaén y la ciudad está poblada de mendigos y de *señoritos arruinados en la ruleta.* La profesión de *jugador de monte* se considera muy honrosa. Es infinitamente más levítica que el Burgo de Osma y *no hay un átomo de religiosidad.* Hasta los mendigos son hermanos de alguna cofradía. *Se habla de política* —todo el mundo es conservador— y se discute con pasión cuando la Audiencia de Jaén viene a celebrar alún juicio por jurados. Una población rural encanallada por la Iglesia y completamente *huera.*» (Manuel García Blanco, *En torno a Unamuno,* Madrid, Taurus, 1965, págs. 228-229.) (El subrayado es mío.)

13. Manuel García Blanco, op. cit., pág. 274. Establecemos a continuación el paralelismo entre uno y otro poema extrayendo algunos de sus versos. Para ello he consultado la edición de Oreste Macrí sobre las poesías de Antonio Machado, 1969.

Unamuno	Machado
Este hombre del chorizo y de la siesta	v. 1
el que ahoga su murria jugando al monte	v. 5-14
el que adora en Belmonte	v. 2
es hombre de calzones, / ... de pana... / / y no de terciopelo...	v. 9-10
... el bolo / que tiene por cabeza	v. 7-8
sólo piensa... / comprar en la taquilla / ... del coso	v. 15-17
Este hombre del chorizo es sólo triste pesadilla de nuestra alma española que va casi en ayunas.	v. 36-37

14. Cfr. Aurora de Albornoz, *La Presencia de Miguel de Unamuno en Antonio Machado,* Madrid, Gredos, 1968, pág. 203.

Hemos llegado a un punto en nuestro comentario en que resulta necesaria una valoración del poema; para ello consideraremos que forma parte de un conjunto o unidad de nivel superior que es el libro *Campos de Castilla*; este libro a su vez representa dentro de la lírica de Machado una visión objetiva del mundo como «escenario de la vida de los demás y de la propia», es decir, «al otro extremo de la introspección subjetivista de que había arrancado su poesía» [15]. José M.ª Valverde concibe esta apertura hacia la realidad como un crecimiento de la actividad pensante, de forma que llega a haber un tránsito en Antonio Machado desde lo vagamente «patriótico» a lo concretamente «político» [16].

El poema elegido se sitúa, pues, en estas coordenadas de pensamiento. Sin embargo, dentro de *Campos de Castilla* existe una notable diferencia entre la edición de 1912 y la de 1917. Dámaso Alonso se ha manifestado en alguna ocasión por la edición de 1912: «el centro de interés de la obra de Machado está en sus dos libros, *Soledades y Galerías,* edición de 1907, *Campos de Castilla,* 1912» [17]. Este hecho, unido al acopio bibliográfico existente sobre ambas ediciones frente a la parvedad que afecta a los poemas que amplían el libro en la edición de 1917, nos lleva a preguntarnos si poemas como «Del pasado efímero» o «El mañana efímero» carecen del interés lírico de otras composiciones de Machado.

En este sentido afirma Blanco Aguinaga: «querer borrar de la biografía y de la obra de Machado sus últimos años es querer borrar de la historia literaria todo enfoque cronológico». Y, así, refiriéndose a algunos poemas de *Campos de Castilla* como «Fantasía iconográfica», los «Elogios» y los poemas ya estu-

15. Cfr. José M.ª Valverde, *Antonio Machado*, Madrid, editorial siglo XXI, 1975, pág. 127.
16. Idem, págs. 96-97.
17. Dámaso Alonso, *Cuatro poetas españoles*, Madrid, Gredos, 1962, pág. 161.

diados escribe: «quien pretenda que estos y otros poemas pueden eliminarse de una lectura de *Campos de Castilla* atenta contra lo que se llama unidad e intenta reducir el gran libro al paisajismo mistificador de los demás» [18].

Evidentemente, falta en «Del pasado efímero» esa fresca intuición lírica plagada de intimismo y simbolismo de las primeras poesías de Machado, pero, en cambio, supone una madurez reflexiva y crítica del poeta ante la realidad nacional que me parece interesante para un conocimiento más riguroso no ya de su mundo poético, sino de su propia personalidad, pues, como hemos tratado de demostrar en este trabajo, a pesar de coincidir con sus coetáneos de la generación del noventa y ocho [19], sabe imprimir a cada tema el sello de su incomparable calidad artística.

18. Carlos Blanco Aguinaga, op. cit., pág. 321.
19. Tengamos en cuenta la opinión de Gutiérrez Girardot según la cual «estas críticas a un mundo cuya pertinaz tradición quiere mantener en vida lo que es ya inerte, fueron propias no sólo de la llamada Generación del 98, sino de todo intelectual europeo e hispanoamericano del siglo XIX, desde la Revolución francesa». (R. Gutiérrez Girardot, *Poesía y Prosa en Antonio Machado*, Madrid, Guadarrama, 1969, pág. 180.)

BERCEO, EL PRIMERO DE LOS POETAS

DE ANTONIO MACHADO

por

FRANCISCO LÓPEZ ESTRADA

Modernismo y Prerrafaelismo.

Este comentario sobre la obra de Antonio Machado tiene como objeto mostrar que este poeta, lo mismo que su hermano Manuel, también escribió poesía siguiendo el criterio culturalista propio de determinados aspectos del Modernismo que se relacionan con los propósitos artísticos del Prerrafaelismo [1]. El Modernismo fue una época de una gran tensión creadora y de una extensa amplitud de propósitos; si por una parte los poetas ofrecen una exaltación del individualismo hacia la libertad y aun el desenfreno, por otra se valen de una abundante materia poética de orden histórico, con resonancias culturales en épocas muy diversas. Así hallamos que determinados aspectos literarios de la Antigüedad renuevan su vigencia poética, y lo mismo ocurre con otros de la Edad Media, los Siglos de Oro y el siglo XVIII; la experiencia parnasiana abrillanta estas evocaciones y el simbolismo añade el toque espiritual que las aleja del realismo y las proyecta sobre el lirismo intimista. En el caso que me ocupa, que es el de la Edad Media, la estética prerrafaelista ofrece una de estas reso-

---

1. En un libro paralelo a este, *Doce comentarios a la poesía de Manuel Machado,* Sevilla, Publicaciones de la Universidad de Sevilla, 1975, págs. 71-90, publiqué el *Comentario de tres sonetos prerrafaelistas de Manuel Machado.* Tanto los comentarios a la poesía de Manuel, como estos otros a la de Antonio, proceden de mi libro *Los primitivos de Manuel y Antonio Machado,* de próxima publicación. Para completar las referencias, véase mi libro *Rubén Darío y la Edad Media,* Barcelona, Planeta, 1971.

nancias, que es a la vez propia de la crítica y de la creación. La valoración de los primitivos (anteriores a Rafael, en términos generales, medievales según la ordenación histórica) se establece en un doble dominio: en el de una crítica descubridora de viejos propósitos que las sensibilidades actuales, agudizadas por una adecuada preparación estética, pueden reconocer; y en el de la creación que aproveche esta preparación, cultural y sensible a un tiempo, tanto en la técnica del artificio como en los asuntos escogidos como materia de expresión artística. Aunque hoy pueda parecernos que el Prerrafaelismo fue un movimiento de minorías, lejano y poco accesible, sus efectos fueron trascendentes, y los escritores de la literatura de fin de siglo hubieron de acusarlos en su período formativo. En este sentido, los trabajos de literatura comparada no han de limitarse al estudio concreto de las huellas identificables entre autores de diferentes literaturas; también conviene verificar exploraciones como esta, aunque sea sólo para enriquecer la perspectiva cultural que tuvieron los artistas de este período y que acaso se han alicortado en sus posibilidades.

Así tenemos el caso de que un escritor tan poco propicio a los snobismos como Baroja, visite París el mismo año de 1899 en que están allí Manuel y Antonio Machado. De lo que percibe en el aire de la calle que perturba la cabeza de las gentes —y con esto quiere decir que las inquieta, para bien o para mal, clara o confusamente— nota las siguientes corrientes: «Ya la tendencia del Prerrafaelismo, que venía de Inglaterra con su *The Blessed Damozel,* de Dante Gabriel Rossetti, la del espiritualismo de Maeterlinck, la del *dilettantismo* de muchos estetas ingleses discípulos de Ruskin y el amoralismo de Nietzsche produjo confusión en la cabeza de las gentes» [2]. Rossetti, Ruskin y sus discípulos empeñados en en-

2. Pío Baroja, *Desde la última vuelta del camino,* en *Obras Completas,* VII, Madrid, Biblioteca Nueva, 1949, pág. 689.

contrar la Belleza y la Verdad, que fueron los favorecedores del Prerrafaelismo, aparecen en la relación de Baroja junto a Maeterlinck y Nietzsche, pensadores. Y otro testimonio concurrente lo hallamos en lo que, en esta misma estancia en París, es el objeto de la predilección de Baroja en cuanto a la Pintura: «Dos o tres veces a la semana iba al Museo del Louvre, y veía, siempre que iba, la sala de los primitivos italianos, y me entusiasmaba con Botticelli, Fra Filippo Lippi, Paolo Uccello y los demás prerrafaelistas» [3].

El testimonio me parece de sumo interés porque demuestra que los escritores que habían de asegurar el descubrimiento literario de Castilla, participan en esta visión conmovida de la cultura medieval que el Prerrafaelismo había extendido por Europa. Lo que mostré con Manuel, voy a hacerlo con Antonio, refiriéndome a una obra en la que un poeta de hoy —pues así considero a Antonio— proclama su solidaridad cordial con un poeta de ayer; a través del tiempo —el motivo insistente y reiterado en su obra— Antonio Machado se siente unido —y reunido— con Gonzalo de Berceo, un primitivo de la literatura española. La exploración tratará de establecer los enlaces de todo orden que he hallado entre los dos poetas, profundizando en la significación de la obra de Antonio.

Berceo, entre los escritores
elogiados por A. Machado.

En la parte final de *Campos de Castilla,* tal como queda incorporado a la edición de las *Poesías Completas* de 1917, hay una agrupación de poemas con el título general de «Elogios» en el que aparece la poesía «Mis poetas», que voy a comentar. La primera edición de *Campos de Castilla* (1912) no la compren-

---

3. Idem, pág. 702.

día. La segunda edición de *Soledades, Galerías y otros poemas,* de la Colección Universal de Calpe (1919), volvió a recoger los «Elogios»; y también las *Poesías Completas* de 1928. El poema del que me voy a ocupar, titulado «Mis poetas» (número CL), no tiene fecha, como algunos otros del grupo; los fechados oscilan entre 1903 y 1916, predominando los que lo están entre 1913 y 1916. Los elogios que contienen las poesías se refieren a Giner de los Ríos (por su muerte, poema CXXXIX, fechado en Baeza, 1915); al joven Ortega y Gasset (con ocasión de hacer escrito su elogio a El Escorial en 1915, poema CXL, sin fecha); a Xavier Valcarce (poesía CXLI, probablemente de fines de 1912); a Juan Ramón Jiménez (poema CXLII, aparecido en 1915, por el libro *Platero y yo*); a Azorín (poema CXLIII, fechado en Baeza, 1913, por su *Castilla*); a Valle-Inclán (poema CXLVI, fechado en 1904, por su *Flor de Santidad*); dos poemas a Rubén Darío (el CXLVII, de 1904, y el CXLVIII, a la muerte del poeta, de 1916); el dedicado a Narciso Alonso Cortés (CIL, de 1914); el que lo está a Miguel de Unamuno (el CLI, sin fecha, por la *Vida de don Quijote y Sancho,* libro aparecido en 1905), y otra vez a Juan Ramón (poema CLII, sin fecha, por *Arias Tristes,* libro publicado en 1903).

Mis poetas: Berceo, el elegido
como el primero.

La poesía, objeto del comentario, es la siguiente [4]:

---

4. Los textos de Antonio Machado se citan por el libro *Obras. Poesía y Prosa,* edición reunida por Aurora de Albornoz y Guillermo de Torre, Buenos Aires, Losada, 1964. El poema citado está en las págs. 227-228. Rectifico *romeo* tal como aparece en la edición *Poesia di Antonio Machado,* cuidada por Oreste Macrí, Milán, Lerici, 1969, 3.ª ed., pág. 626. Mencionaré la primera como *Obras* y la segunda como *Poesie*.

MIS POETAS

El primero es Gonzalo de Berceo llamado,
Gonzalo de Berceo, poeta y peregrino,
que yendo en romería acaeció en un prado,
y a quien los sabios pintan copiando un per-
[gamino.

5   Trovó a Santo Domingo, trovó a Santa María,
y a San Millán, y a San Lorenzo y Santa Oria,
y dijo: Mi dictado non es de juglaría;
escrito lo tenemos; es verdadera historia.

Su verso es dulce y grave: monótonas hileras
10   de chopos invernales en donde nada brilla;
renglones como surcos en pardas sementeras,
y lejos, las montañas azules de Castilla.

Él nos cuenta el repaire del romeo cansado;
leyendo en santorales y libros de oración,
15   copiando historias viejas, nos dice su dictado,
mientras le sale afuera la luz del corazón.

Por de pronto, el título puede resultar equívoco:
si se trata de *mis poetas,* ¿cómo es que sólo aparece
mencionado en ella un solo poeta? ¿Se trata del comienzo de una serie de poesías en la que Antonio
había pensado reunir sus poetas preferidos de la historia literaria de España, en particular de los primitivos? ¿O la referencia la establece Antonio en su
propia memoria recordando *sus* otros poetas, suyos
por afinidades electivas? Y esto podría ser pues en

los «Elogios» Antonio se refiere también a otros poetas, como Juan Ramón, Rubén y Alonso Cortés. Berceo es, en la época, el primero en el orden cronológico de la literatura española y en la consideración de Antonio. Pero *primero* es un numeral en el que cabe pensar que se juegue con una preferencia personal; y también es posible en este caso que fuese primero en la consideración subjetiva de los autores primitivos, tal como su hermano Manuel y Azorín habían señalado por diferentes caminos. Al lado de la valoración de la épica, y en especial, del *Poema del Cid,* que emprende el Centro de Estudios Históricos, con Menéndez Pidal en cabeza, los «poetas» contemporáneos, por su parte, quieren salvar por la vía de la sensibilidad los autores del mester de clerecía, representados en el buen clérigo de la Rioja. La tradición es para ellos algo más que la línea consagrada por la crítica romántica: la épica con la «epopeya» medieval de los cantares de gesta, y el Romancero que se desparrama en los siglos siguientes por los más diversos géneros poéticos. Comienza la exploración de estos «nuevos viejos», valga la paradoja, un tanto en la sombra por la exuberancia del apretado boscaje de nuestra literatura.

Antonio y el criterio culturalista de creación poética.

No es frecuente, sin embargo, que Antonio recurra a las obras antiguas para que le sirvan de materia literaria en su poesía. Así como, en Manuel, vimos que el caso es más común, y aun sirve para definir una de sus características generales, Antonio sólo se vale de ello en contadas ocasiones. En un caso en que Antonio se refiere al Romancero, dice lo siguiente, que conviene tener en cuenta: «...toda simulación de arcaísmos me parece ridícula» [5]. Esto lo escribía en

5. *Obras,* edición citada, pág. 48.

1917, precisamente en la época en que se publica la poesía «Mis poetas». No podía, pues, parecerle simulación lo que él mismo había hecho en esta obra. No era un pastiche, sino que, con la misma voluntad que había movido la estética prerrafaelista, se trataba de hacer que reviviese para el hombre moderno la poesía antigua, que hasta entonces había permanecido en el ámbito de una crítica o noticia de especialización. El caso es que Antonio, poeta muy moderno (modernista en esto, como Manuel), se plantea el caso de reencontrar la tradición literaria que aún puede revivir. La poesía de esta clase necesita que el lector colabore con el autor en la base del mutuo conocimiento del texto o escritor que entra en juego. Por eso Antonio se esfuerza por llegar hasta donde alcanzan las raíces últimas del secular árbol literario español. Y de ahí que, libremente, de entre los posibles poetas primitivos, elija, en esta ocasión, a Gonzalo de Berceo. En esto coincide con la misma elección que hizo su hermano Manuel. Para comenzar el comentario observemos en seguida la técnica de que Antonio se valió para su evocación vivificadora del viejo poeta, y cómo resulta en los procedimientos paralela a la de Manuel. Pero hay una diferencia temporal importante: Manuel había publicado su «Glosa» de Berceo en el «Blanco y Negro» de junio de 1904. Y la poesía de Antonio no aparece en libro hasta las *Poesías Completas* de 1917. La obra poética de Antonio había logrado durante estos años un relativo desarrollo: ya han aparecido las *Soledades* y sus adherencias, con la carga intimista que alcanza hasta el primer poema soriano «A orillas del Duero», de 1910; y los *Campos de Castilla* contienen esa conjunción de hombre, tierra y tiempo, como él declararía. Aun contando con la clara orientación que sigue la obra de Antonio, la posible conversión en poesía del elogio de sus preferidos antiguos subsiste en su validez; cierto —repito— que Antonio se valdrá poco de ella, pero el hilillo nunca se rompe. Y así resulta sintomático

189

que este rasgo de técnica literaria modernista persista aún en una fecha tan avanzada como la de 1917, y prosiga todavía en 1928, y permanezca después en las colecciones de su poesía completa hasta el fin de la vida del poeta.

La técnica aplicada en «Mis poetas»:

a)   *La métrica.*

Esta poesía de Antonio es más compleja que la paralela de Manuel pues no en vano es posterior, como acabo de indicar, en más de una década y entran en juego más elementos de la experiencia común del Modernismo y del propio poeta. Por de pronto, el verso es el mismo alejandrino que había usado Berceo, y del que también Manuel se había valido para su glosa. Antonio se permitió romper el equilibrio de los sintagmas con entidad de grupo en el verso sexto:

y a San Millán, y a San | Lorenzo y Santa Oria.

Y en el verso 12, con menos violencia:

y lejos, las montañas | azules de Castilla.

Solo que el poeta, en vez de la reproducción del tetrástrofo monorrimo (como hizo Manuel, ciñéndose más directamente a la imitación antigua) prefiere la cuarteta cruzada, forma más ágil que la machacona repetición de las cuatro rimas iguales del tetrástrofo alejandrino. Antonio elige una solución de compromiso, más moderna que la rigurosa imitación arqueológica de Manuel en su «Retablo» de Berceo.

La intención estilística que condujo al uso preferente del verso alejandrino entre los poetas del mester de clerecía, era clara para Antonio. En una ocasión, cuando habla Juan de Mairena de la matemática en sí, se pregunta qué es lo que tiene que ver con la poesía: «En cuanto poetas, deleitantes de la poesía, aprendices de ruiseñor, ¿qué sabemos nosotros de la matemática? Muy poco. Y lo poco que sabemos nos sobra. Ni siquiera han de ser nuestros versos sílabas contadas, como en Berceo, ni hemos de medirlos, para no irritar a los plectros juveniles»[6]. Antonio publica esto en el diario «El Sol» del 9 de febrero de 1936[7]; en su madurez, el poeta no puede menos que recordar lo que la crítica había establecido sobre la diversidad existente entre la ametría de los juglares y la medida ajustada de los clérigos, pero el caso, pasado a la situación de 1936, encuentra un paralelo entre el triunfo del verso libre que lograron los vanguardistas y las formas métricas establecidas según las coordenadas del verso silábico, y la rima que reúne las estrofas en módulos asegurados por la tradición que comienza precisamente en el primero de los poetas de Antonio. Berceo es así el primer establecedor del ritmo poético sobre principios en cierto modo matemáticos de creación, frente a las corrientes contrarias, presentes desde el origen mismo de la poesía y exacerbadas, en el tiempo de Antonio, por la libertad del verso vanguardista. Antonio mantuvo, pues, el recuerdo del viejo poeta Berceo a sus sesenta y más años que tenía cuando escribió esta cita. Y en su poema de 1917, a los cuarenta y dos años, nos había ofrecido el más claro testimonio de su adhesión al mismo.

b) *El material poético antiguo.*

Antonio, como Manuel, traspasa a su poesía versos o fragmentos de ellos de las obras de Berceo; así ocurre en el verso primero[8]:

---

6. *Obras*, edición citada, pág. 495. Propiamente la declaración específica de las características del mester de clerecía corresponde al *Libro de Alexandre*, como declaro un poco más adelante.
7. *Juan de Mairena*, Madrid, Castalia, 1972, ed. J. M. Valverde, pág. 275.
8. Recuérdese que la referencia inicial del verso es a la obra y

Gonzalo de Berceo llamado

Antonio se aprovecha, pues, de esta parte de verso para el segundo hemistiquio de su poesía; Manuel siguió el mismo verso de origen más al pie de la letra en el verso 4 de su «Retablo».

El verso 3:

que yendo en romería acaeció en un prado

es calco del verso siguiente de la misma estrofa:

Milagros, 2

iendo en romería caeçí en un prado

El *acaecer,* 'hallarse presente', es arcaísmo léxico apoyado en Berceo, usado en forma plenamente consciente de su condición pues el *Diccionario de la Real Academia* señala que esta acepción es anticuada frente a la acepción que significa 'suceder', aún en uso.

El verso 5:

Trovó a Santo Domingo, trovó a Santa María

registra el uso del verbo *trovar* en el sentido general de 'hacer versos' pero no 'componer trovas o composiciones para canto', pues no lo eran las de Berceo. Sin embargo, aquí Antonio no ha querido tener en cuenta que en el dialecto del clérigo *trovar* o *trobar* significa 'encontrar, hallar, descubrir', según aparece por ejemplo en el verso siguiente: «qui buscarle quisiere, rehez [fácilmente] lo trobará» (*Santo Domin-*

---

la estrofa de Berceo, igual que se hizo en la parte del estudio de Manuel.

go, est. 246). De todas maneras, *trovar* no es voz de uso general, y pertenece a la serie de términos que usa Antonio, referentes a la poética medieval.

El verso 7 de Antonio:

y dijo: Mi dictado non es de juglaría

es un compuesto arcaizante en el que aparece en el primer hemistiquio la palabra *dictado* en el significado de 'obra' tal como la utiliza Berceo en el sentido general de la obra escrita, que era en primer término las Escrituras o cualquier otro texto literario y aun privado, de carácter narrativo. La misma oposición está en Berceo cuando, al referirse a cómo San Millán ganó los votos, escribe:

San Millán, 362

Sennores, la fazienda   del confesor onrrado
no la podrié contar   nin romanz nin dictado...

En el segundo hemistiquio de este mismo verso 7, Antonio reproduce la mención, tan repetida en los manuales de Literatura, que procede del hemistiquio segundo de la estrofa 2 del *Libro de Alexandre*: «Mester trago fermoso,   non es de joglaría». La atribución del *Libro de Alexandre* a Berceo se encuentra en un manuscrito descubierto en 1888 y publicado por Morel-Fatio [9]; y es posible que al referir a Berceo este hemistiquio, recoja esta atribución, entonces discutida. De todas maneras hay que observar que en este caso Antonio, como lo había hecho su hermano Manuel en «Retablo», no tiene reparos en valerse de una grafía medieval, *non,* para que le ayude en la medida del verso, que de otra manera quedaría falto de

---

9. *El Libro de Alexandre. Manuscrit esp. 488 de la Bibliothèque Nationale de Paris,* publiée par Alfred Morel-Fatio, Dresden, 1905-6; dieron inmediata cuenta de él Menéndez Pidal («Cultura Española», 1907, págs. 545-552) y A. Paz y Melia («Revista de Archivos, Bibliotecas y Museos», XVI, 1907, págs. 428-429).

una sílaba. El arcaísmo funciona, pues, en dos planos: en el gráfico y en el métrico.

El verso 8 es una composición que reúne el material de varias expresiones en las que Berceo muestra su confianza en la verdad de las fuentes escritas, que, ya sólo por serlo y proceder de otras, le merecen crédito de verdaderas. Así escribe Berceo:

Santo Domingo, 336

Lo que no es escripto, no lo afirmaremos

Santo Domingo, 338

Non lo diz la leyenda [esto es, lo que se lee] no so yo sabidor...

La «escriptura vera» (*Sacrificio,* est. 175) es una afirmación en la que los dos términos se condicionan mutuamente, tal como aparece en Antonio con las palabras *verdadera historia.*

El verso 13 vuelve a traspasar y a recomponer parte de otra verso de Berceo:

Milagros, 19

En esta romería   avemos un buen prado
en qui trova repaire   tot romeo cansado

No siente, pues, Antonio temor alguno en usar el término antiguo por más que pudiera sorprender al lector: *repaire* queda cerca de *reparo* 'lo que conforta y reanima al que se siente cansado'. Y, con análogo sentido, en *Juan de Mairena* aparece otro acercamiento al léxico de Berceo, aplicado esta vez a afirmar la significación filosófica; allí refiere el apócrifo profesor que puso como motivo de meditación a sus alumnos la necesidad de que exista el prójimo para que podamos amarlo. Y a este propósito dice:

«...la existencia real de nuestro prójimo, de nuestro vecino, que dicen los ingleses —*our neighbour*—, de acuerdo con nuestro Gonzalo de Berceo»[10]. La semántica de la vieja palabra sale a reducir amparada en el paralelo inglés, buscando esta vez un término más exacto, a la vez popular y metafísicamente, del concepto de *prójimo* que existe en y por el amor cristiano.

En este mismo verso 13 *romeo* es la forma medieval, usado junto con *romero*.

El verso 16:

mientras le sale fuera la luz del corazón.

procede de otro verso de la misma *Vida de Santo Domingo*:

Santo Domingo, 40

fue saliendo afuera   la luz del coraçón.

Organización estructural de la poesía.

Desde el punto de vista de la estructura, queda claro que Antonio desarrolla la poesía en dos planos: el que podemos llamar de historia literaria, al que pertenecen las dos estrofas primeras, especie de miniatura que reúne vida y obras; y el plano de la impresión viva de la poesía, siempre renovable si lo es de verdad; decía su complementario Mairena que «el poeta es un pescador, no de peces, sino de pescados vivos; entendámonos, de peces que pueden vivir después de pescados»[11], y esto ocurre en la estrofa tercera. La cuarta, de cierre, entrecruza los dos

---

10. *Obras,* edición citada, pág. 478. Se corresponde con el artículo publicado en «El Sol», 1 diciembre 1935, según *Juan de Mairena,* ed. J. M. Valverde, pág. 274.
11. *Obras,* edición citada, *Consejos... de Juan de Mairena...,* pág. 380.

planos al reunir *historias* (material histórico, obra del antiguo poeta) y *corazón* (vivencia eternizada en el hombre a través de la poesía, sea Berceo, Antonio o el lector actual).

Así establecido el desarrollo, y teniendo en cuenta los materiales antiguos identificados en la contextura del poema moderno, podemos avanzar en el conocimiento de la novedad con que Antonio realiza la poesía. Pasemos a tratar este desarrollo en sus diferentes partes, de acuerdo con la estructura señalada.

La estrofa primera: menciones literarias y pictóricas de Berceo.

En la estrofa inicial, Antonio establece el recurso de atribuir a la vida del poeta lo que él escribe en su obra, sin que haya motivo biográfico para la identificación. Así, la mención de Berceo *peregrino* no pertenece a lo que sabemos de la vida del poeta, sino a lo que expone en la introducción a los *Milagros de Nuestra Señora,* una de las partes de Berceo más conocidas. El sentido de la introducción es declaradamente alegórico; se trata de una versión del tópico del *locus amoenus,* a la que no se ha encontrado una fuente directa, sino textos paralelos [12]. Pero Antonio le da un sentido real, y entonces la romería trae consigo la peregrinación, que es el concepto que importa para señalar el cansancio del verso 13. Lo de copiar el pergamino es invención de Antonio; no hay ilustración de la época antigua que represente a Berceo *copiando un pergamino,* pero es muy posible imaginarlo en el contexto de la evocación. Macrí, que ha estudiado minuciosamente el asunto, ve en este verso 4 que: «Il gusto della Istituzione e del 98 si risolve altresí all'arte figurativa medievale» [13]. Recuérdese

---

12. Véase Brian DUTTON, en el prólogo de su edición de Gonzalo de BERCEO, *Obras Completas,* II, *Los Milagros de Nuestra Señora,* Londres, Támesis, 1971, págs. 36-40.
13. *Poesie,* edición citada, pág. 1221.

lo que dije en la parte referente a Manuel sobre estas cuestiones, y puede aplicarse en este caso; a Macrí le hace recordar la conocida imagen del Beato de Tábara en su escritorio, pero el número de ilustraciones semejantes es muy numeroso.

De una manera u otra, la adición de la mención de la pintura junto a la mención literaria está dentro de la corriente del Prerrafaelismo, que valora la Edad Media desde estas diferentes perspectivas dando al caso un sentido vital, según se verá en el curso de la obra, culminante en el verso último.

La estrofa segunda: un resumen
de historia literaria.

La estrofa segunda está claramente situada en el ámbito de la historia literaria: se trata de resumir la obra, el estilo y la concepción de la literatura en Berceo. La ocasión resulta propicia en la vida de Antonio; José María Valverde señala que en 1917, el año en que aparece la primera edición de *Poesías Completas* en que se halla esta obra, Antonio, ya licenciado en Filosofía, se encarga de un curso de literatura española [14]. Hay que suponer que ha releído sus textos, y que su encuentro con Berceo ha sido gozoso; para la erudición, pudiera haber valido el manual de Fitzmaurice-Kelly, que desde 1901, en versión española, sirve a los estudiosos de nuestra literatura, pero me inclino más bien por la *Antología de poetas líricos castellanos* de Menéndez Pelayo [15]. En el prólogo pudo encontrar las referencias necesarias para establecer la relación de obras, y las notas de que Berceo no fuese poeta de juglaría (con la atribución discutida del *Poema de Alexandre*) y el orgullo

14. Antonio MACHADO, *Nuevas Canciones y De un Cancionero apócrifo*, Madrid, Castalia, 1971, Prólogo, pág. 14.
15. Pudo ser la edición de la «Biblioteca Clásica», Madrid, 1907, en cuyo tomo I había aparecido la Introducción a los *Milagros*, de donde pudo tomar los textos que mencioné en párrafos anteriores (págs. 7-12).

que el clérigo sentía por su obra escrita, indicio de que su contenido era verdadero. Son las características generales del «mester de clerecía», según enseñaría Antonio a sus alumnos.

Por otra parte, no es de extrañar que una de las primeras denominaciones de la crítica literaria que usó Berceo [16], el *román paladino* (aparece en la misma *Vida de Santo Domingo,* est. 2.ª) se encuentre en la crítica de Antonio. Ocurre con ocasión de un comentario al libro *Imagen* de Gerardo Diego, y en el siguiente contexto: «reparemos en que la lírica «creacionista» surge en el camino de vuelta hacia la poesía integral, totalmente humana, expresable en *román paladino* y que fue, en todo tiempo, la poesía de los poetas» [17]. El *román paladino* es para Berceo una manera de escribir clara, que la entiendan las gentes palmariamente; se quiere huir de reconditeces de grupo literario, estético o social. Pero ello con dignidad de *prosa,* esto es, manifestándose en forma recta, medida, con el arte conveniente para el fin propuesto.

Una intención estilística de esta naturaleza es, para Antonio, la que conviene con la *poesía de los poetas,* y recalca además que esto ocurrió *en todo tiempo.* Berceo aparece, pues, como un mentor para los poetas que le seguirían y que no quisieron romper este vínculo de comunicación general.

---

16. Sobre todo en la estrofa segunda de la *Vida de Santo Domingo* (Madrid, Castalia, 1973, pág. 59):
    Quiero fer una prosa en roman paladino,
    en cual suele el pueblo fablar con so vezino,
    ca non so tan letrado por fer otro latino.
17. *Obras,* edición citada, pág. 811; «Gerardo Diego, poeta creacionista», artículo fechado en Segovia, mayo de 1922.

La estrofa tercera:
un incendio metafórico.

En la estrofa tercera, después de que Antonio aseguró en Berceo las características poéticas de su obra desde un punto de vista de historia literaria, deja que la misma obra levante en él un proceso asociativo de múltiples resonancias estéticas. Toda esta estrofa —la más importante y decisiva en cuanto a la modernidad de la poesía— es una declaración de las imágenes que despiertan en Antonio la lectura de los versos de Berceo. La poesía sobre Berceo de su hermano Manuel fue indudablemente una experiencia para Antonio, pero el procedimiento en uso para esta poesía tiene también muy en cuenta la crítica impresionista de Azorín[18]. En efecto, en 1915 José Martínez Ruiz había incluido en su obra *Al margen de los clásicos* una de sus recreaciones literarias sobre Azorín; en ella evoca a Berceo escribiendo en una celda a través de cuya ventanilla se ve el paisaje «fino y aterciopelado». Más audaz que Azorín, puesto que Antonio escribe poesía, la estrofa tercera es un salto desde el texto leído hasta la evocación poética. El comienzo es una indicación del efecto que produce la lectura de los versos de Berceo, que queda establecido en los adjetivos *dulce* y *grave*. Macrí[19] nota que *dulce* es adjetivo muy usado en Berceo; en efecto, el clérigo en una ocasión establece una sinestesis curiosa. Ocurre en la conocida introducción a los *Milagros,* en donde aplica el adjetivo a los frutos en un sentido recto:

Milagros, 15

El fructo de los árboles era dulce e sabrido

18. Véase mi artículo *La crítica literaria en Azorín,* publicado en *Estudios sobre Azorín.* «Boletín del Instituto de Estudios Giennenses», suplemento del núm. 78 en *Homenaje a Azorín,* 1975, págs. 65-93.
19. *Poesie,* obra citada, pág. 1221.

Pero en otra parte lo traslada a los sonidos de
las aves:

Milagros, 7

Odí sonos de aves   dulces e modulados

La sinestesia —una de las primeras y más ele-
mentales que cabe encontrar en la lengua— se traslada a la apreciación del poeta moderno, y los versos
son así *dulces*. Pero al mismo tiempo hay una referencia de peso: *graves,* que es la contrapartida del
adjetivo anterior, para redondear así la impresión de
la poesía antigua.

Pero la cuestión no se detiene ahí, y sigue adelante, con una gran aventura metafórica. Una imagen,
de compleja organización, se inicia inmediatamente
después del signo gráfico de los dos puntos. Es una
imagen establecida con elementos del paisaje del campo: hileras de chopos primero, y surcos de arado
después, todo lo cual acaba por culminar en la mención de Castilla. Recuérdese que la obra que encierra
esta poesía de «Mis poetas» es *Campos de Castilla*
y, por tanto, la tonalidad de la unidad poética se
corresponde con la general de la unidad de libro, con
su título determinador. Por otra parte, Antonio había reconocido en el «Elogio» al libro *Castilla* de
Azorín [20], la variedad de paisajes que implicaba esta
región: «Toda Castilla» es la gentil, la bravía, la parda y la manchega, la del pasado que evoca Azorín y
la presente que Antonio quiere que despierte. Además de la región, es una dirección espiritual: «...yo
creo | en el alma sutil de tu Castilla». Los elementos
naturales con que establece este paisaje, resultan paralelos, en parte, a los de Azorín en *Al margen de
los clásicos*: «Se ven unos prados verdes, aterciope-

20. *Obras,* edición citada, págs. 218-220 (núm. CXLIII), fechada
en Baeza, 1913.

lados, un riachuelo que se desliza lento y claro y un grupo de álamos que se espejean en las aguas límpidas del arroyo» [21]. Álamos en uno, chopos en el otro, son árboles alineados sobre un fondo de paisaje. Pero de ahí en adelante, todo cambia: en Azorín es un paisaje de huerta cultivada y en Antonio, unas sementeras. No importa, pues Castilla es amplia, múltiple, y puede, desde este punto de vista poético, recibir, aunque sea de lejos, la tierra de Berceo, valorada poéticamente a través del salto metafórico. Este despliegue de la imagen se verifica directamente; no hay ni un *parece* o *es como* o sencillamente *como*. Por eso, el plano evocado o realidad inicial —la lectura de la obra de Berceo— se identifica con el plano imaginado —el paisaje de Castilla—.

Sin embargo, hay una salvedad que hacer desde el punto de vista de un correcto acomodo de las imágenes: Berceo, el lugar del viejo poeta, no está en Castilla, si nos atenemos a las designaciones geográficas comunes, sino al otro lado de los picos de Urbión, límite norte de la Castilla soriana. Es un pueblo de la diócesis de Calahorra en la que hoy es provincia de Logroño. Y, además, desde un punto de vista lingüístico, el dialecto de la obra de Berceo es el navarro-aragonés. Pero estas cuestiones de ajuste geográfico y de historia de la lengua y de la literatura no coartan la asociación que Antonio establece: su Castilla es más «paisaje del corazón» que entidad geográfica. Cuenta desde dentro del poeta, asociando la hilera de versos del mester clerical con los chopos de Soria, que recuerda así [22] en la primavera dolorida por la muerte de la amada:

Ya verdearán de chopos las márgenes del río.

Por otra parte, la imagen de los chopos en la

21. Cito por Azorín, *Obras selectas*, Madrid, Biblioteca Nueva, 1969, pág. 910.
22. «Recuerdos», CXVI, de los mismos *Campos de Castilla*, fechado en 1912. *Obras*, edición citada, pág. 173.

ribera aparece en las «Soledades a un maestro», que son *soleares* dedicadas a Francisco A. de Icaza (1863-1925), en cuyos poemillas dice: [23]

> En su claro verso
> se canta y se medita
> sin grito ni ceño.
>
> (IV)

> Y en perfecto ritmo
> —así a la vera del río
> el doble chopo del río—.
>
> (V)

Las ideas de que los chopos a la vera del río sean el plano de alusión del ritmo de los versos quedó, pues, fijada en la imaginería poética de Antonio. Se manifiesta así un cliché expresivo de paisaje, que se relaciona directamente con la impresión del ritmo y en especial con Castilla.

La asociación que relaciona ambos planos —realidad de los versos e imágenes de hileras de chopos y surcos del arado— es fácil de establecer para el lector que conoce la obra del mester de clerecía: las hileras lo son de versos (la cuaderna vía del largo verso alejandrino con catorce sílabas, reunido en estrofas de cuatro rimas consonantes iguales) o de árboles o de surcos. Escribir es enfilar sílabas como chopos que bordean riberas de caminos o de ríos, y realizar los versos sobre el papel es como labrar surcos, y las sementeras son las páginas sobre las que se verifica el trabajo, físico en la labranza, espiritual en la creación poética.

La comparación resulta afortunada, y de esta manera el trabajo de las manos y de la inteligencia se reúnen. Pero conviene señalar que esta comparación

23. *Obras*, edición citada, pág. 283. Pertenecen a *Nuevas Canciones* de 1924, en «Glosando a Ronsard y otras rimas». La edición *Poesie* trae *rimo* (pág. 754).

no era nueva en la literatura española. Un poeta an-
tequerano, Pedro Espinosa (1578-1650), había publicado los siguientes versos: [24]

   Yo, en las que mi heredad planas contiene
   (pautadas a compás, largos renglones),
   con oro escribo, y mucha Ceres leo,
   y respuesta recibe mi deseo.

No sé lo que pensaría Antonio de estos versos,
ejemplo del barroco que él denostaba a través de
Juan de Mairena, ni tampoco estoy seguro de si llegó
a leerlos alguna vez; la edición que dio a conocer
a Espinosa fue obra de Rodríguez Marín y apareció
en 1909 en las publicaciones de la Real Academia
Española. Rodríguez Marín había sido amigo del padre de los Machado y colaborador en las investiga-
ciones folklóricas que éste había emprendido. Pero
dejando esto de lado, creo de interés esforzarme en
penetrar en la significación de la poesía de Espinosa;
los concentrados versos que cité pueden traducirse
así a la expresión común, teniendo en cuenta de que
el escritor quería establecer un paralelo entre las
faenas agrícolas de sus tierras con el ciclo de una
cosecha y su obra como escritor: «Yo [agricultor y
poeta, a un tiempo] escribo con oro [es decir, siem-
bro trigo] en las planas que contiene mi heredad [en
los campos llanos que hay en mi posesión], pautados
a compás, largos renglones [esto es, los surcos que
ha abierto el labrador para la siembra, paralelos unos
con otros, están dispuestos como la pauta de las líneas que se marcan en las páginas para escribir recto]
y leo mucha Ceres [cuando la cosecha va creciendo,
contemplo abundante mies]; y al fin, cuando la reco-

24. Véase mi edición Pedro ESPINOSA, *Poesías*, Col. «Clásicos Castellanos», Madrid, Espasa Calpe, 1975, pág. 147, «Soledad del Gran
Duque de Medina Sidonia», versos 237-240.

jo, es la respuesta que recibe mi deseo [a la carta que escribí al principio]».

Con todo, no creemos que sea necesario señalar una fuente directa de carácter literario, aun contando con la coincidencia señalada. Pudo muy bien ocurrir que ambos poetas, Espinosa y Antonio Machado, inventasen por su cuenta la imagen, tratándose de dos escritores para los que el campo fue una vivencia intensa que pasaron a su obra poética. Pero estimo conveniente anotar la coincidencia entre un autor tan cercano a Góngora como Espinosa y, por tanto, barroco, y Antonio, inventor de Mairena, para el cual el barroco es una oquedad, representación del empobrecimiento del alma española [25]. Pero no dejó de reconocer también que «Aunque el gongorismo sea una estupidez, Góngora era un poeta, porque hay en su obra, en toda su obra, ráfagas de verdadera poesía» [26]. ¿Podría ser la coincidencia indicio de una de estas ráfagas, hallada en el gongorino Espinosa?

Anotemos, finalmente, que este incendio metafórico se compensa con los colores que entran en el paisaje evocado; si en la estrofa primera hubo una referencia al posible grabado de línea primitiva, en la tercera los colores se señalan en forma definida: es la falta de brillo, el pardo de la sementera y las lejanías azules de las montañas de Castilla, que podrían ser las sierras del norte de Soria, vistas desde el lado de Logroño. Los colores están en el plano de la evocación, que así se asegura en una percepción espiritual, como es la propia de la imagen poética.

La estrofa cuarta: historia y corazón.

Pasemos ahora a la estrofa de cierre. La dependencia de Antonio con Manuel es aquí intensa. Manuel llamó en su «Retablo» a Berceo *romeo peregri-*

---

25. *Obras*, edición citada, pág. 318, «El *Arte poética* de Juan de Mairena».
26. Idem, pág. 509. *Juan de Mairena*, XLV.

no; peregrino salió antes en esta poesía de «Mis poetas» (verso 2). En ella Antonio dice que Berceo cuenta el *repaire* del *romeo cansado* (verso 13). La dependencia con los mismos versos de Berceo es clara:

Milagros, 17

Todos quanto vevimos   que en piedes estamos
siquiere en presón   o en lecho yagamos,
todos somos romeos   que caminos andamos;
san Peidro lo diz esto,   por él vos lo provamos.

Antonio prepara el cierre de la poesía y es ocasión de comprometer de algún modo al lector actual; por eso aparece el pronombre *nos* que vierte la obra de Berceo tanto sobre el propio Antonio como sobre cualquier lector de esta poesía: todos pueden aprovechar la lección de que la vida es un camino, una peregrinación, una *romería* en palabras medievales. Y que esto es así lo prueba Berceo con la autoridad de San Pedro, pues ya se cuidó de señalar que lo que él dice no es palabrería de juglar, sino escritura verdadera y, en este caso, la Primera Epístola de San Pedro en el Nuevo Testamento (I *Petr.,* 2, 11). La romería como símbolo de la vida humana es frecuente en el Antiguo Testamento y en el Nuevo y en los Padres de la Iglesia y en los comentaristas de la Biblia [27]. Si insisto aquí en esta mención es por la importancia que tiene la consideración del camino en la obra de Manuel. La romería dura la vida entera, y la vida es una peregrinación. Manuel recogió aún más de cerca esta identificación al referirse *a los de ahora, que andamos el camino* «Retablo» (verso 10). Antonio vemos que, del amplio conjunto de la obra de Berceo, del cantor de los milagros de la Vir-

27. Véanse los comentarios de Brian Dutton, Gonzalo de BERCEO, *Los Milagros de Nuestra Señora,* edición citada, pág. 40.

gen y de las Vidas de sus Santos, lo que más le atrajo para destacarlo en su poesía es que diera al *romeo cansado,* al hombre de este mundo, un descanso:

Milagros, 19

En esta romería   avemos un buen prado
en qui trova repaire   tot romeo cansado...

La imagen de la vida como camino, de origen bíblico, fue una de las predilectas de Antonio, y que se corresponde con su experiencia, con la vida del poeta: Sevilla, Madrid, París, Soria, Baeza, Segovia, Madrid y, durante la guerra civil, Valencia, Barcelona hasta acabar, entre la riada de un ejército en derrota, en Collioure, donde dio fin al camino.

Pero Antonio añade algo más a este perfil sencillo del poeta medieval: la actividad que le ocupa en este mundo y que expresa diciendo su *dictado* (palabra que dije significa en general 'escrito, composición'), es la del escritor, el mismo oficio que Antonio. El clérigo lee y copia de los viejos códices, y en esta labor va creando sus libros de poesía, tal como correspondía a su época. Pero Antonio siente una oscura afinidad electiva con el viejo escritor, que hace que no lo considere como un poeta más de los muchos que figuran en la lista de las historias de la literatura medieval [28]. Gonzalo fue, como Antonio, poeta intelectual, que quiso andar al compás lingüístico del hombre del pueblo. Existe en Gonzalo el fondo libresco propio de un clérigo de la época; y en Antonio una preocupación por la filosofía que hace derivar su obra poética hacia cauces peculiares. Por eso los dos gustan, uno de ajuglararse, y el otro, de dárselas de maestro divulgador; se valen de fra-

---

28. En esto disiento de la opinión de Segundo SERRANO PONCELA (*Antonio Machado. Su mundo y su obra,* Buenos Aires, Losada, 1954, pág. 200), que encuentra que Antonio no tiene ninguna relación espiritual o temática con el clérigo medieval.

ses hechas que, poéticamente contrastadas, recobran brillo inusitado, refranes, observaciones que acercan el pensamiento, sea teológico o filosófico. De ahí que a Berceo le guste valerse de fórmulas populares (pedir el vaso de buen vino, como señaló Manuel en su «Retablo»; y Antonio hizo que Mairena dijera: «Pensad que escribís en una lengua madura, repleta de folklore, de saber popular...» [29]). Este compromiso del poeta medieval resultaba ser el suyo, a través del mucho tiempo que los separa en el curso de la literatura española.

Pero aún hay más en esta estrofa final: el cierre de la misma en el verso 16. El paralelo entre Gonzalo y Antonio se amplía en la consideración de cómo trata el poeta medieval los asuntos. Y esto lo indicó Menéndez Pelayo, que en cierto modo señala el camino de esta revaloración de Berceo; en efecto, en su *Antología de poetas líricos* (que también tuvo en cuenta Manuel) pueden leerse estos juicios: «Nadie le ha calificado de gran poeta, pero es sin duda un poeta sobremanera simpático, y dotado de mil cualidades apacibles que van penetrando suavemente el ánimo del lector, cuando se llega a romper la áspera corteza de la lengua y la versificación del siglo XIII» [30]. Dice después Menéndez Pelayo que Berceo ha sido autor considerado por críticos y filólogos «más cuidadoso de las rarezas gramaticales que del sentimiento estético. Mejor suerte merecía quien tuvo alma de poeta y en su candorosa efusión creó para sí una lengua artística, lengua que sabe herir agudamente todas las fibras del alma...» [31]. Y acaba con esta afirmación: «Más enseñanza y más deleite se saca del cuerpo de sus poesías, que de casi todo lo que contienen los Cancioneros del siglo XV» [32].

29. *Obras*, edición citada, pág. 383.
30. Marcelino MENÉNDEZ PELAYO, *Antología de poetas líricos castellanos*, edición de *Obras Completas*, Santander, Aldus, 1944, I, pág. 168.
31. Idem, págs. 172-173.
32. Idem, pág. 187.

He querido mostrar esta opinión de un crítico que pudo haber conocido Antonio porque subraya lo que él señala en la labor del clérigo:

mientras le sale afuera la luz del corazón.

Del conjunto de la obra de Berceo, éste fue probablemente el verso que más sorprendió la sensibilidad de Antonio. Pertenece a una parte de la vida de Santo Domingo en la que nos relata la formación del que comenzó siendo «Santo pastorcillo»; contó Berceo su paso por la escuela y cómo aprendió lo que convenía a un mozo de coro; y sigue así:

Santo Domingo, 40

Fue alçado el moço,   pleno de bendición,
salió a mancebía,   ixió santo varón,
fazié Dios por él mucho,   oyé su oración,
fue saliendo afuera   la luz del coraçón.

Antonio daría un salto ante este acierto: sacar fuera la luz del corazón. Esto fue lo que él atribuyó a Berceo, procedente de la vida del Santo, y esto es lo que, en cierto modo, había sido su mismo propósito: poner luz, claridad, en la hondonada del corazón, y que esa luz saliera afuera y alcanzara a los demás, porque el amor de caridad pide eso. La luz que crea Dios, tal como Berceo nos indica en los *Loores de Nuestra Señora*: «Por Él fue hecha luz, e el mundo criado» [33], puede hallarse como actividad de amor en el corazón de los hombres. Otra vez se acordaría Berceo de la imagen luminosa, y fue precisamente al fin de la misma vida de Santo Domingo; cuando van a dar tierra al cuerpo del religioso, dice:

---

33. *Poetas castellanos anteriores al siglo XV*, BAE, LVII, Madrid. Rivadeneyra, 1964, pág. 94, est. 23.

Condesaron el cuerpo,   diéronle sepultura,
cubrió tierra a tierra,   como es su natura,
metieron gran tesoro   en muy grand angostura,
lucerna de gran lumne   en lenterna oscura.

Lo que fue el Santo en vida se expresa por esta
luminosa imagen *lucerna* (luz, luminaria, antorcha)
de gran lumne (lumbre, resplandor) que se encierra
en la sepultura, *lenterna* oscura.

En Berceo la expresión tiene significación reli-
giosa, y sólo cabe interpretar en un sentido de caridad cristiana los efectos de esta luz del corazón. Antonio lo entiende así, y en el cuerpo de su poesía
este sentido se mantiene implícito, pero ocurrió que
también dio a la misma expresión un significado humano; en efecto, en lo que Concha Espina nos ha
dejado conocer de la correspondencia entre Antonio
y Guiomar, el poeta recuerda en una carta este mismo verso de Berceo: «Sí, es verdad, se me ilumina el
rostro cuando te veo. Es que, como dice Gonzalo de
Berceo, me sale fuera la luz del corazón y esa luz
es la que pone en él mi diosa…» [34]. La versión pro-
fana del verso de Berceo aparece en una carta de la
intimidad e indica que aún después de 1926, en que
conoció a Pilar de Valderrama, el recuerdo de Berceo
y la sugestión del verso de que me ocupo, se mantenían vivos, y no, desde luego, con un fin literario.

Para el propósito que me guía, quiero notar que
esta imagen de la luz se encuentra en Berceo con
gran fuerza, y se corresponde con el arte de la pintura
(cuadros, vidriería, ilustración de códices, etc.) del Me-
dievo, en el que la luz saliendo del corazón es un procedimiento común para indicar la condición del alto
amor cristiano, signo de bienaventuranza, reflejo, en

---

34. Concha ESPINA, *De Antonio Machado a su grande y secreto
amor*, Madrid, Lifesa, [1950], pág. 22.

último término, de la luz de Dios que por estas criaturas bienaventuradas alcanzaba a los hombres.

La palabra *corazón,* como vemos, es clave en el léxico poético de Antonio; para entender cuál es su significación conviene acudir a lo que había sido su contenido semántico en la espiritualidad medieval, procedente de su uso bíblico. Así el *corazón* de Antonio recoge el sentido general de '*sedes vitae spiritualis sive in cognoscendo sive in volendo, sive in sentiendo',* tal como posee el término *cor* en la Biblia. Sólo así, mezclando en la vida espiritual el conocer, el querer y el sentir del hombre, se consigue esta plenitud que nos permite contar con el corazón tanto para amar a la mujer como para amar al prójimo, como para amar la sabiduría y la verdad.

Por eso, por hallar en Berceo a otro poeta que quiere comprometerse siempre con la vida a través del corazón, lo convierte en el primero de los suyos, en la larga lista de la literatura española.

Final

Hemos encontrado que Manuel y Antonio se hallan unidos en la devoción por Berceo. La literatura medieval aparece así reanimada por los hermanos Machado en 1904 y 1917, respectivamente, en esta común predilección. Manuel, poeta más abierto a las impresiones culturales, realizaría otras experiencias poéticas con la pintura del Beato Angélico, el flamenco Van Laethem y Botticelli, tal como mostré en los comentarios a su poesía. Antonio, más intimista —como le gustaba llamarse—, prefirió el ámbito de la literatura y, junto a Berceo, extiende sus preferencias, entre otros, por Jorge Manrique, el judío Sem Tob de Carrión, el Romancero, la figura heroica del Cid y su gran predilecto Dante Alighieri. Pero esto es el objeto de otros estudios míos, y si lo señalo aquí es para que se sepa que el caso de Berceo, que he estudiado en este comentario de la poesía, no es aislado. Antonio posee una veta medieval que está a un tiempo dentro del movimiento europeo de la reivindicación poéticamente cultural —y culturalmente poética— de la Edad Media, y de la afirmación de España desde su origen histórico, afincado en Castilla.

Francisco López Estrada

Sevilla y Madrid, 1975.

VISION DE UN ASPECTO CRITICO EN ANTONIO MACHADO: "UNA ESPAÑA JOVEN"

por

RAFAEL DE CÓZAR SIEVERT

INTRODUCCION

Con estas breves páginas pretendo tan sólo aproximar al lector hacia el tema de España como problema, uno de los aspectos representativos del noventaiochismo de Antonio Machado, enfoque por tanto parcial del análisis de su obra y el estudio de su generación. No quisiera, sin embargo, dar una impresión de segmentación en la línea de continuidad de la producción de Machado que, como unidad indivisible, a menudo señalada por diversos autores [1], ofrece los temas fundamentales: el tiempo, el amor, la preocupación por España, el intimismo, el sueño, en cada una de sus composiciones. Se trata entonces de desentrañar la mayor intensidad de uno de estos asuntos en determinado momento, ofrecer algunas muestras de su preocupación por el presente y el futuro de España, temática que lo incluye en una tradición que tuvo, sobre todo en el siglo XVIII, sus principales ejemplos.

Por otra parte, la definición de la lírica del 98 bajo este denominador temático obligaría a incluir, aparte de Machado, a otros autores que no mucho tienen en común: Núñez de Arce, Rubén Darío, Sal-

---

1. Ramón de Zubiría: *La poesía de Antonio Machado*, III edic., Madrid, Gredos, 1973, pág. 17, señala a Pedro Salinas como uno de los primeros que defendió la indivisibilidad de la obra de Machado, punto sobre el que ha insistido Ricardo Gullón y que aparece como resultado evidente a través de la obra de Julio César Chaves: *Itinerario de don Antonio Machado*, Madrid, Editora Nacional, 1968.

vador Rueda, Manuel Machado, «Azorín», tan sólo uno de ellos perteneciente a la citada generación y que forman parte de toda una tradición centrada en el mismo tema.

Hemos hablado de noventaiochismo y es imprescindible hablar también de modernismo ya que, si como conceptos pueden aparecer diferenciados, en su aplicación práctica, los límites aparecen diluidos y no es posible una valoración de nuestro autor por uno sólo de ellos, so pena de relegar una parte de su obra en beneficio de otra. Un poema entonces puede responder en mayor o menor medida a una tendencia, pero toda la obra de un autor es la aleación originada por la personalidad única de este.

PUNTO DE PARTIDA

El punto de partida elegido es el poema «Una España joven» que será la base textual de nuestro comentario[2], si bien, como ampliación y complemento del mismo, haremos referencia a otros en los que se ofrece un similar tratamiento. Véanse todos estos como testimonio del pensar del poeta, rasgos aclaratorios de su punto de vista en la apreciación histórica[3].

Por otra parte, la descripción que en estos versos realiza Machado del proceso histórico de España iniciado a fin de siglo, no presenta de un modo definitivo la explicación de las causas que lo suponen, si bien se dan a entender razones que proceden del carácter y circunstancias de los españoles del momento. La visión de España, objeto de nuestro comentario,

---

2. De este modo creemos cumplir el sentido de representatividad que ha de tener el texto elegido, como fragmento denotador de un aspecto de la obra de Machado.

3. El comentario de textos adquiere entonces una dimensión pluralizada en tanto que la base textual es múltiple y se define por el tratamiento que un autor realiza de un mismo tema en diversos momentos.

puede ser entonces completada, aunque desde una perspectiva esencialmente sociológica, en el trabajo incluido en este mismo volumen realizado por Carmen de Mora Valcárcel: *En torno a «Del pasado efímero» de Antonio Machado.*

En cualquier caso, es evidente la mayor frecuencia del tratamiento de este tema en los años inmediatos y siguientes al desarrollo de la primera guerra mundial. Nos lo confirman las fechas de los poemas que relacionamos.

Marta Rodríguez [4], partiendo de la base de la unidad de la obra de Machado, señala una tipología que encuadra, con diversos matices, los poemas de *Campos de Castilla* relacionados con el problema de España: «Por tierras de España», «El dios ibero», «Orillas del Duero», «Del pasado efímero», «La mujer manchega», «Campos de Soria», «El mañana efímero». No considero sin embargo conveniente una estructuración de un autor por motivaciones temáticas que nos llevaría, tal vez, a la creación de clichés indebidamente aplicados; un poema, o todo lo más un libro, observa en sí mismo una relativa independencia que procede de las circunstancias únicas en que fue creado. Así pues, tan sólo un criterio pedagógico o el tratamiento de una evolución justifican la creación de tipologías. Admitamos entonces la legalidad de este enfoque, ya que de un comentario se trata.

4. Marta Rodríguez: *Intimismo en Antonio Machado.* Estudio de la evolución de la obra poética del autor. Madrid, Gráficas Cóndor, 1971, pág. 87.

Veamos a continuación el poema objeto de nuestro comentario:

CXLIV

UNA ESPAÑA JOVEN

...Fue un tiempo de mentira, de infamia. A
[España toda,
la malherida España, de carnaval vestida
nos la pusieron, pobre y escuálida y beoda,
para que no acertara la mano con la herida.

5   Fue ayer; éramos casi adolescentes; era
con tiempo malo, en cinta de lúgubres presa-
[gios
cuando montar quisimos en pelo una quimera
mientras la mar dormía ahita de naufragios.
Dejamos en el puerto la sórdida galera,

10   y en una nave de oro nos plugo navegar
hacia los altos mares, sin aguardar ribera,
lanzando velas y anclas y gobernalle al mar.
Ya entonces, por el fondo de nuestro sueño
[—herencia
de un siglo que vencido sin gloria se alejaba—

15   un alba entrar quería; con nuestra turbulencia
la luz de las divinas ideas batallaba.
Mas cada cual el rumbo siguió de su locura;

agilitó su brazo, acreditó su brío;
dejó como un espejo bruñida su armadura

20   y dijo: "El hoy es malo, pero el mañana... es
                                              [mío".
     Y es hoy aquel mañana de ayer... Y España
                                              [toda,
     con sucios oropeles de carnaval vestida
     aún la tenemos: pobre y escuálida y beoda;
     mas hoy de un vino malo: la sangre de su he-
                                              [rida.

25   Tú, juventud más joven, si de más alta cumbre
     la voluntad te llega, irás a tu aventura,
     despierta y transparente a la divina lumbre,
     como el diamante clara, como el diamante pura.

Utilizamos como base textual las ediciones siguientes:

Antonio Machado: *Obras, poesía y prosa,* edic. Aurora de Albornoz y Guillermo de Torre. Buenos Aires, Losada, 1969, pág. 221; *Poesie di Antonio Machado.* III edic. completa a cargo de Orestes Macrì. Milan, Lerici editori, 1969, pág. 612; *Poesías Completas.* 8.ª edic. Buenos Aires-Madrid, Espasa Calpe, 1959.

En todos los casos aparece con el número CXLIV y no se observan variantes entre ellos a no ser la fecha. En la primera figura: Enero de 1915, y en la segunda: 1914. Según Orestes Macrì [5], en las dos primeras ediciones de *Poesías Completas* la fecha es enero de 1915 y en S^3: enero de 1913. En cualquier caso, propone como fecha más aceptable la de 1914.

---

5. En: *Notas a los poemas,* op. cit., pág. 1216.

Esto nos lleva a los años de su estancia en Baeza que son precisamente los que corresponden más asiduamente al tratamiento de este tema.

FICHA DE ANALISIS

1. *Configuración del texto: Contenidos.*

   Asunto: Tema de España.

   Idea central: Calificación del proceso temporal: presente, pasado y futuro en: Dolor, desengaño y esperanza.

   Desarrollo: Visión retrospectiva del pasado, situado a fines del XIX, como explicación del presente. Proyección hacia el futuro a raiz del momento del poema: 1914.

   Vehículo: Observación indirecta (pasado), observación directa (presente).

   Fuentes: Realidad exterior e interior del poeta como coagente del hecho que define. Tradición literaria (temática de España como problema).

   Motivaciones: a) Generales: Lo histórico como efecto de lo social y lo político. Circunstancias en que se escribe el poema (guerra mundial). b) Individuales: Vivencias del poeta. Su pertenencia a una determinada generación y su participación en hechos comunes.

   Coordenadas espaciales: España.

   Coordenadas temporales: 1898-1914.

   Personajes: Inclusión del autor en «nosotros» referido a la juventud de su tiempo (pasado) y a la madurez del momento (presente). En la consideración del futuro no se incluye el poeta.

2. *Aspectos formales.*

   Morfología interna del texto: Estructura monológica propia del género lírico. Composición: Siete cuartetos alejandrinos agrupados en tres partes de acuerdo con la distribución temática de los tres momentos temporales. Disposición directa (cronología lógica) en pasado, presente y futuro. Procedimientos: narración de los hechos de acuerdo con la disposición cronológica. Carácter acumulativo. Vocabulario claro y expresivo, escasa utilización de procedimientos retóricos.

Morfología externa del texto: Estilo. Expresión particular de Antonio Machado, reflejo, además, del estilo de fines de siglo en el tratamiento de esta temática (de distinta índole al que producen otras épocas de la literatura con similares preocupaciones). La afectividad se manifiesta formalmente de acuerdo con una calificación determinada de cada uno de los momentos históricos, expresión que responde a diversas coordenadas individuales en la valoración de la temática de España.

COMENTARIO

En siete cuartetos alejandrinos de rima alterna, ofrece Machado su expresión del sentimiento noventaiochista (aunque, decíamos, no exclusivo de la generación) mediante el esbozo diacrónico del TEMA de España. Hablamos, pues, de proceso y este aparece definido en cronología lógica por las tres sincronías que esquematizamos:

cronología literaria a partir del tema] pasado → presente → futuro

cronología real desde el punto de vista del autor] pasado   presente   futuro
←——— * ———→

El tema adquiere así su DESARROLLO en una estructura triple que fusiona los tres momentos del proceso mencionado mediante el eje de la temporalidad y la IDEA CLAVE que la define: Dolor, desengaño, esperanza.

A   Dolor del pasado

B   Desengaño del presente

C   Esperanza del futuro.

La linealidad del proceso se ve reforzada así por la perfecta interrelación de los tres estados que funcionan sólo en razón de causa efecto. Es decir:

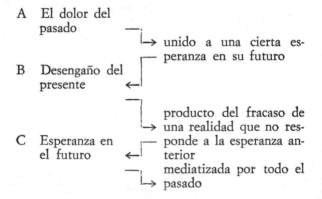

A.   El primer estado encierra el nudo complejo del poema mediante el recuerdo de la España de 1898 y se desarrolla en cinco de los siete cuartetos alejandrinos. Dentro de este, cabe aún establecer tres subperíodos:

A.1.   *Situación temporal:*

1   Fue un tiempo de mentira, de infamia. A Es-
                                        [paña toda,

222

                 la malherida España de carnaval vestida
                 nos la pusieron, pobre escuálida y beoda (...)
    5 (...) fue ayer; éramos casi adolescentes; era (...)

la realidad nacional de siglo aparece así dibujada en
el amargo recuerdo de la visión de Machado, la España que la juventud de su tiempo había recibido,
una patria cansada, falsa y sin fuerzas.

A.2.   *Intento de solución:*

    7 (...) cuando montar quisimos en pelo una qui-
                                                    [mera,
           mientras la mar dormía ahita de naufragios.
                                                    [(...)

En este plural se expresa la unión de aquellos jóvenes,
justificada no por demasiadas similitudes entre sí, sino
por la comunidad de intenciones hacia la renovación
de la España que habían recibido. Resulta difícil encontrar profundas identidades entre los miembros de
la generación del 98, sobre todo desde el punto de
vista poético, hecho que se pone de manifiesto unos
versos más abajo. En cualquier caso, podríamos admitir a Unamuno y Antonio Machado, noventaiochis-
tas y líricos indiscutibles, como representantes del
mundo poético del 98, si bien hay que tener en cuenta que no fue un movimiento de poesía aunque apor-
tase elementos importantes a la misma [6].
     No creo adecuada la interpretación ofrecida por
Sánchez Barbudo que ve en estos versos un deseo
de escapar a la triste realidad nacional por medio de
la fantasía [7], ya que entonces no tendría sentido el
sentimiento de fracaso ante la construcción de una
nueva España que ofrece más adelante.

_____

    6. Tal es el caso del paisaje como espejo de la interioridad del
autor.
    7. Antonio Sánchez Barbudo: *Los poemas de Antonio Machado.*
Los temas. El sentimiento y la expresión, Barcelona, Lumen, 1969,
págs. 308-309.

A.3. *Nueva España:*

La nueva España es expresada como un nuevo amanecer que pugna por surgir:

13 (...) Ya entonces por el fondo de nuestro sueño
[—herencia
de un siglo que vencido sin gloria se alejaba—
un alba entrar quería; con nuestra turbulen-
[cia (...)

El siglo XIX queda así resuelto, «vencido sin gloria», con el reconocimiento de la realidad y fracaso de la postura española. De este modo pusieron los jóvenes en aquella época las bases de un futuro, a pesar de las diferencias entre ellos:

17 (...) Mas cada cual el rumbo siguió de su locura;
[(...)
20 (...) y dijo: «El hoy es malo, pero el mañana...
[es mío» (...)

El *hoy* del pasado y el *mañana* de este verso abren el segundo período referido al presente: 1914. Este es el punto en el que se sitúa el poeta para abarcar mediante el recuerdo (percepción indirecta: memoria) los años de su juventud. Se ha resuelto así la descripción del pasado y queda abierta la observación del presente (percepción directa).

B. Este es el puesto de observación desde donde Machado ha realizado la retrospectiva del pasado y que parte del presente creado sobre la palabra *mañana* del verso final del anterior período:

21 (...) Y es hoy aquel mañana de ayer... Y Espa-
[ña toda,
con sucios oropeles de Carnaval vestida

> aún la tenemos: pobre y escuálida y beoda;
> [(…)

La situación de los hechos repite entonces una similar estructura con el inicio del poema. Hagamos un cuadro sinóptico:

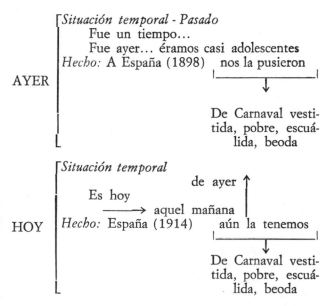

AYER
- *Situación temporal - Pasado*
  - Fue un tiempo…
  - Fue ayer… éramos casi adolescentes
- *Hecho:* A España (1898) nos la pusieron
- De Carnaval vestida, pobre, escuálida, beoda

HOY
- *Situación temporal*
  - de ayer
  - Es hoy
  - aquel mañana
- *Hecho:* España (1914) aún la tenemos
- De Carnaval vestida, pobre, escuálida, beoda

Se manifiesta así el desengaño del poeta ante el fracaso de la juventud que él representaba, aquella que se lanzó a la construcción de una España nueva, quizás con demasiada «turbulencia» y de forma individualizada (verso 17).

C. La visión esperanzada de una nueva España surge entonces en el último cuarteto entre la duda de un posible nuevo fracaso y la ilusión de que esta «juventud más joven» logre lo que aquella, de su generación, no pudo conseguir:

25 (...) Tú, juventud más joven, si de más alta cum-
[bre
la volutad te llega, irás a tu aventura
despierta y transparente a la divina lumbre,
como el diamante clara, como el diamante
[pura.

Esta apreciación del mañana es frecuente en los poemas referidos a la problemática de España y suele estar presente sin apenas variación de matices.

Queda entonces de manifiesto el tiempo como una de las claves de la obra poética de Machado, eje de unión, como en el poema comentado, de los temas fundamentales, centro de sus preocupaciones poéticas y filosóficas, constante en toda ella [8].

El presente, como proyección del pasado y germen del futuro, ha sido el punto de arranque del poema comentado y lo es a menudo en aquellos que tienen relación con este tema. Los tres procesos se analizan frecuentemente de forma global y en otros casos el tratamiento del tiempo se centra en uno de ellos. Aparte de esto, no resulta descabellado aplicar la calificación que se ofrece en este poema para cada tiempo: dolor, desengaño y esperanza, a los demás poemas. Así observamos, en contraste con el tono general fatalista de *Campos de Castilla,* un optimismo franco respecto al futuro en muchos de los poemas.

El hoy suele ser siempre resultado de la abulia de los hombres de España, a espaldas de los dramas de su tiempo e indignos del pasado más lejano que simbolizan: el Cid, Pizarro, Cortés. En «A orillas del Duero» nos dice Machado:

51 (...) La madre en otro tiempo fecunda en capi-
[tanes,

8. Esta es la tesis defendida por Ramón de Zubiría en *La poesía de Antonio Machado,* op. cit., pág. 18.

madrastra es hoy apenas de humildes gana-
[panes.
Castilla no es aquella tan generosa un día,
cuando Myo Cid Rodrigo el de Vivar vol-
[vía (...)

Pero tal vez, uno de los poemas más violentos contra la España de las generaciones anteriores sea el titulado «El mañana efímero», fechado en 1913:

15 (...) Esa España inferior que ora y bosteza,
vieja y tahur, zaragatera y triste,
esa España inferior que ora y embiste
cuando se digna usar de la cabeza (...)[9]

En este mismo se ofrece la esperanza de la nueva España, tal como hemos señalado en nuestro comentario:

35 (...) Mas otra España nace,
la España del cincel y de la maza,
con esa eterna juventud que se hace
del pasado macizo de la raza.
Una España implacable y redentora,
España que alborea
con un hacha en la mano vengadora,
España de la rabia y de la idea.

Siempre el tema de la España que ha de venir en oposición a la que representa la indiferencia y apatía del hombre del pasado inmediato, que es aún presente. En los últimos versos de «El dios ibero» dice el poeta:

63 (...) Mi corazón aguarda

9. Como señala Sánchez Barbudo, no se refiere en su ataque a la España que ora, sino a la que mezcla el bostezo con la oración, la embestida con el rezo. *Los poemas de Antonio Machado*, op. cit., pág. 309.

al hombre ibero de la recia mano,
que tallará en el roble castellano
el Dios adusto de la tierra parda.

Finalizamos aquí nuestro trabajo con los últimos versos del «Envío» dedicado a Azorín, que se incluye dentro de *Elogios* y que expresa su optimismo por la nueva España, fechado también en 1913:

17 (...) ¡Oh tú, Azorín, escucha: España quiere
    surgir, brotar, toda una España empieza!
    ¿Y ha de helarse en la España que se muere?
    ¿Ha de ahogarse en la España que bosteza?
    Para salvar la nueva epifanía
    hay que acudir, ya es hora,
    con el hacha y el fuego al nuevo día,
    oye cantar los gallos de la aurora.

Todos estos ejemplos observan una similar visión del problema de España que aún permite una última matización. Al profundizar en las raíces de la lírica de Machado nos detenemos ahora en la caracterización de su simbolismo [10]. Admitida esta premisa y con la establecida flexibilidad de límites en la definición del concepto (lo cual no quiere decir que la aplicación a un poeta comporte una dependencia exclusiva a ella) las raíces del simbolismo en Machado explican su visión del presente de España desde un punto de vista liberal, progresista e inconformista frente a otra, de raíz parnasiana y también frecuente en la época, conservadora, tradicionalista y conformista [11].

---

10. Negábamos al principio la estabilización de límites entre los conceptos de noventaiochismo y modernismo, teoría juzgada como injustificable si no es con flexibilidad y sin pretender su caracterización como sistemas cerrados. Ambos son, así, indiscutiblemente, aplicables a la obra de Antonio Machado en visión de totalidad. En aquellos poemas en que se observa una mayor intensidad del modernismo, es evidente la presencia de la raíz simbolista, como ha señalado J. M. Aguirre en *Antonio Machado, poeta simbolista*, Madrid, Taurus, 1973.
11. Véase: *Antonio Machado, poeta simbolista*, op. cit., pág. 190.

ESTUDIO DEL SONETO
DE ANTONIO MACHADO
"¿POR QUE, DECISME, HACIA
LOS ALTOS LLANOS…"
(II DE *LOS SUEÑOS DIALOGADOS*)

por

BEGOÑA LÓPEZ BUENO

I

Los sueños dialogados forman un conjunto de
cuatro sonetos aparecidos en el libro *Nuevas canciones* (1924), volumen publicado por Editorial Mundo
Latino y luego ligeramente ampliado en la edición
de *Poesías completas* de 1928. Aparte de estos cuatro, bastantes más sonetos quedan incluidos en el
libro y puede decirse que, en su conjunto, constituyen una de las líneas más nuevas aportadas en ese
momento por Antonio Machado a su producción poética.

El significativo título de *Los sueños dialogados*
que llevan estos sonetos —numerados del I al IV—
nos pone en el camino para comprender, si no su
contenido de comunicación, sí su proceso de construcción pocmática, o mejor de reconstrucción de vivencias distintas, elevadas por el acto creativo-litera-
rio a otro orden de cosas: el poema —poemas en
este caso.

Por otro lado, aparte de su incidencia en los poemas, se puede comprender en seguida el alcance y
la importancia de tal título en relación con la poética
de Machado en general. No es nuestro propósito entrar aquí en la compleja realidad de los sueños y de
la dialéctica machadiana —las dos vertientes del título y de los poemas—, sino sólo recordar la importancia de los primeros dentro de su poética, como

consecuencia de su concepción existencialista de la metafísica «en la cual —según sus propias palabras— el tiempo alcanza un valor absoluto»[1]. Si no se puede recordar el pasado, el tiempo vivido, se sueña y se convierte así en una nueva creación, depurada, por medio del olvido, de lo anecdótico y trivial. La vigilia soñadora tiene para Machado la función de ser la única forma de conocimiento. En estrecha relación con esto aparece el tema de los sueños como complementarios de la vigilia, aspecto este que se aprecia mejor en la segunda mitad cronológica de su producción poética[2].

Pero además los sueños son aquí *dialogados*. Lo poético, como una forma de lenguaje, es para Antonio Machado comunicación con los otros, pero también con uno mismo hacia los demás en forma de diálogo con el «yo-otro» o bien con la amada (sonetos I y III), ya que —según dice el propio Machado explicando la metafísica de Abel Martín— «es precisamente el amor la autorrevelación de la esencial heterogeneidad de la sustancia única»[3].

II

De los cuatro sonetos que componen *Los sueños dialogados* elegimos el segundo para nuestro comentario. Dice así:

1. Y continúa: «Inquietud, angustia, temores, resignación, esperanza, impaciencia que el poeta canta, son signos del tiempo, y al par, revelaciones del ser en la conciencia humana.» Todo ello para demostrar que «la poesía es la palabra esencial en el tiempo», convicción que mantuvo desde su juventud, según escribe en unas notas, resumen de su poética, para la Antología que Gerardo Diego reuniera en 1931, de donde están tomadas estas palabras. (Gerardo Diego, *Poesía española contemporánea (1901-1934)*, 5.ª edición, Taurus, Madrid, 1970, pág. 149.)
2. Valverde señala como hito divisorio en este sentido el *Fragmento de pesadilla*, apuntado en 1914. (José María Valverde, *Antonio Machado*, Siglo Veintiuno Editores, Madrid, 1975, pág. 158.)
3. Antonio Machado, *De un cancionero apócrifo*. Seguimos la edición *Obras, poesía y prosa*, reunida por Aurora de Albornoz y Guillermo de Torre, Editorial Losada, Buenos Aires, 1964, pág. 279. En las sucesivas citas de la obra de A. Machado nos referiremos siempre a esta edición.

¿Por qué, decísme, hacia los altos llanos
huye mi corazón de esta ribera,
y en tierra labradora y marinera
suspiro por los yermos castellanos?

Nadie elige su amor. Llevóme un día
mi destino a los grises calvijares
donde ahuyenta al caer la nieve fría
las sombras de los muertos encinares.

De aquel trozo de España, alto y roquero,
hoy traigo a ti, Guadalquivir florido,
una mata del áspero romero.

Mi corazón está donde ha nacido,
no a la vida, al amor, cerca del Duero...
¡El muro blanco y el ciprés erguido! [4]

Cabría preguntarse a qué obedece esta elección
y, sobre todo, si al entresacar este soneto no queda-
rá privado de sus relaciones contextuales. La respuesta es doble. Por una parte diré que el propósito
es hacer un comentario del texto, criterio que preside los trabajos de este libro. Las relaciones con
el contexto —los otros tres sonetos— serán referidas
en el momento oportuno para una amplitud de comprensión del texto. (Habría que hacer, además, una
salvedad, y es que cualquier poema que forme parte
de un libro homogéneo en su concepción y desarrollo —un ejemplo podría ser *Campos de Castilla*—
al ser tomado como pieza indepediente queda también desvinculado de su contexto).

4. A. Machado, *Obras...*, ed. cit., pág. 285. Remitimos a la lectura de los otros tres sonetos que componen el conjunto (págs.
284-286), pues nos referiremos a ellos a lo largo de este comentario.

La otra vertiente de la respuesta es más importante. Este soneto, que su autor no lo hizo imprimir hasta 1924, fue escrito mucho antes. Concretamente en «Sevilla 1913» según está fechado en el cuaderno de *Los Complementarios* donde aparece por primera vez [5]. Allí parece como si con su poema cerrara una serie de consideraciones sobre el soneto intercaladas entre algunos de ellos que recoge de Dante, Ronsard, Lope, Góngora y Manuel Machado [6].

El soneto viene a comunicar la sensación de forastero de Antonio Machado en su propia patria. (Recuérdese que está fechado en Sevilla). Tal vez hubiera sido oportuno, como recuerda Valverde [7], publicarlo en la segunda edición de *Campos de Castilla* en 1917, junto con la pareja de poemas *Recuerdos* y «En estos campos de la tierra mía» que vienen a significar lo mismo [8]. El soneto queda, sin embargo, inédito durante once años para aparecer, junto con los otros tres —y otros muchos del libro *Nuevas Canciones*— en esta aparentemente recién estrenada faceta de sonetista de Machado. Quizás la demora en la publicación de este soneto pudiera deberse al hecho de esperar reunir bastantes de ellos como para formar un corpus, tal como ocurre en *Nuevas Canciones;* ya en una época en que, por otra parte, tal vez había cambiado sus puntos de vista sobre las posibilidades modernas de este género, del que, aparte

---

5. Se encuentra en el fol. 6 R. Véase la edición crítica del cuaderno de *Los Complementarios* hecha por Domingo Ynduráin: vol. I Facsímil y vol. II Transcripción, Taurus, Madrid, 1972. (Todas las referencias a *Los Complementarios* van en lo sucesivo por esta misma edición.)
    La fecha de 1913 aparece allí claramente. No es desde luego 1919 como dice Sánchez Barbudo, quien no cita *Los Complementarios* como primer lugar de procedencia del soneto. (Antonio Sánchez Barbudo, *Los poemas de Antonio Machado. Los temas. El sentimiento y la expresión*, Lumen, Barcelona, 1967, pág. 328.)
    6. *Los Complementarios*, ed. cit., fols. 3 V.-6 R., págs. 17-22 de la transcripción (vol. II).
    7. José María Valverde, *Antonio Machado*, ob. cit., pág. 132.
    8. Sobre este tema véase el comentario al último de los poemas citados realizado por Rogelio Reyes Cano e incluido en este mismo libro.

El soneto autógrafo del propio Antonio Machado en el c u a d e r n o de **Los Complementarios**, fol. 6R. La reproducción está tomada de la edición facsímil realizada por Domingo Yn- duráin, citada en nota 5.

de reconocer la alta calidad de algunos de ellos, decía en *Los Complementarios*: «Va el soneto desde lo escolástico a lo barroco. De Dante a Góngora, pasando por Ronsard. No es composición moderna, a pesar de Heredia. La emoción del soneto se ha perdido. Queda sólo su esqueleto, demasiado sólido y pesado, para la forma lírica actual. Todavía se encuentran algunos buenos sonetos en los poetas portugueses. En España son bellísimos los de Manuel Machado. Rubén Darío no hizo ninguno digno de mención» [9].

III

El soneto II, concebido, pues, por su autor como pieza independiente, goza así de una entidad suficiente para su estudio. Lo cual no quita para que situado en este contexto amplíe sus posibilidades comunicativas.

Vemos de esta manera que el soneto I, que comienza «Cómo en el alto llano tu figura...» es una evocación melancólica: Leonor es la compañera soñada, la esposa que ayuda al poeta, ella evocada también y después testigo, a evocar el pasado, pasado representado en el paisaje de ambos, el de Castilla. Y el soneto II, objeto de nuestro estudio, queda relacionado con el anterior en el sentido siguiente: Es la pregunta, y la respuesta, de por qué esos anhelos, sueños obsesivos del paisaje castellano.

La pregunta es el comienzo de la composición. ¿Esta interrogante va dirigida por el poeta a los demás —todos los hombres como interlocutores— o bien está formulada en sentido contrario? El problema, según puede comprenderse, gira en torno a la forma verbal *decísme* (v. 1). Por la forma es un pre-

---

9. *Los Complementarios,* ed. cit., fol. 3 V., pág. 17 de la transcripción (vol. II).

sente, como recuerda Valverde en su edición crítica [10], y en ese caso sería igual a «me decís». Su función no es, sin embargo, tan clara. Puede interpretarse en dos sentidos. Bien como un presente y entonces la pregunta debería entenderse en el segundo de los sentidos expuestos, es decir, estaría formulada por los otros al poeta. Ello iría, desde luego, en consonancia con el resto del soneto que es la respuesta de él mismo. Sin haber nada que lo impida nos damos cuenta de la violencia a que sometemos el texto con esta posible lectura. Por respetar una forma verbal normalizada —que el poeta pudo no aceptar en atención, por ejemplo, a una comunicación más enfática o a una mayor sonoridad fonética— se llega a un apreciable retorcimiento de la expresión.

La otra interpretación —que el poeta formule la pregunta— supone ver en *decísme* un presente con función imperativa como vocativo de habla. Quizás sea una lectura más sencilla y verosímil que la anterior, pero queda basada sobre una interpretación ajena a la forma verbal que presenta el verbo. La solución definitiva parece muy difícil, si no imposible, pero creemos que es irrelevante para la comprensión del soneto. Se trata, en cualquiera de los dos casos, de una interrogatio retórica, portada del poema. La respuesta es el verdadero meollo del contenido del soneto como un comentario razonado a la pregunta: *su destino* (v. 6) lo llevó allí y el *amor* (v. 13) lo unió sentimentalmente a aquella tierra.

IV

El soneto aparece realizado desde dos perspectivas:

10. Antonio Machado, *Nuevas canciones* y *De un cancionero apócrifo*, edición, introducción y notas de José María Valverde, Clásicos Castalia, Madrid, 1971, pág. 175.

I) Expresión de
sus sentimientos
en forma de
  a) pregunta (1.er cuarteto)
  b) afirmación (1.er terceto)

II) Respuesta
razonada
en forma de —   comentario (2.º cuarteto)
                             (2.º terceto)

Estilísticamente se resuelve de acuerdo con esta disposición. La perspectiva I se evidencia por un juego de oposiciones, reflejos evidentes de su dualidad interior. Observemos:

altos llanos (v. 1)/esta ribera (v. 2)
yermos castellanos (v. 4)/tierra labradora y marine-
[ra (v. 3)
trozo de España alto y roquero (v. 9)
/Guadalquivir
[florido (v. 10)
áspero romero (v. 11)

Además, en cada una de estas dos unidades (1.er cuarteto y 1.er terceto) la distribución es similar. Los sintagmas nominales referidos a Castilla abren y cierran estas unidades; y sin duda el efecto se refuerza por la igualdad de los sonidos finales debida a la rima. Se realzan, así, las dualidades del contenido con la rima abrazada (propiamente dicha en el cuarteto).

En la perspectiva II encontramos que de nuevo son los sintagmas nominales los caracterizadores del estilo. Son los siguientes:

grises calvijares (v. 6)
nieve fría (v. 7)
muertos encinares (v. 8)
muro blanco (v. 14)
ciprés erguido (v. 14)

Representan todos ellos una síntesis de «su» paisaje. Paisaje frío y desolado, en que la *nieve* (v. 7) asume, prosopopéyicamente, la función principal, porque *ahuyenta* (v. 7) como animal feroz todo rastro de apacibilidad. Termina el soneto con una evocación de un paisaje concreto, el cementerio, referido sin duda al Espino, donde descansa Leonor. De esta forma se va estrechando a lo largo de la composición el ámbito evocado por el poeta, yendo desde lo más general a lo más particular, concreto y personal.

V

Esta disposición puede verde desde otro punto de vista, el de los adjetivos. Para su mejor entendimiento la disposición gradual debe quedar vinculada con el juego de perspectivas I y II que hemos señalado.

En la I, hay algunos determinadores; lo son claramente los demostrativos *esta* (v. 2) y *aquel* (v. 9). Otros —*altos llanos* (v. 1), *tierra labradora y marinera* (v. 3), *yermos castellanos* (v. 4), etc.— podrían cumplir igualmente tal función, puesto que determinan una parte de lo enunciado por los sustantivos. Y creemos que es así porque justamente a esta perspectiva I le corresponde la función de presentar la materia, establecer la dualidad u oposición entre paisajes. No ocurre lo mismo en la II, en que ya caracterizada o acotada la zona de referencias externas (el paisaje castellano), los adjetivos son ahora epítetos: *grises calvijares* (v. 6), *nieve fría* (v. 7), etc. Y se intensifica esta línea al final de la composición, a medida que el paisaje se va haciendo más concreto. *Muro blanco* y *ciprés erguido* (v. 14), se refieren a una realidad única (el cementerio que él conoció) a la que no ha aludido directamente sino por medio de una perífrasis. De tal forma que aquí los adjetivos no sólo no se refieren a una parte de lo enunciado, sino que con los sustantivos designan una realidad única, que tiene nombre propio.

VI

Observemos ahora la función que realiza la distribución acentual en orden a la potenciación expresiva de los contenidos de significación del soneto. Lo primero que se percibe en el análisis de estos catorce endecasílabos es su polirritmia: aunque con tendencia manifiesta al acento en sexta sílaba, no pocos lo llevan en la cuarta, y dentro de estas dos posibilidades son varias las combinaciones que utiliza aquí Machado en cuanto a la distribución del resto de los acentos. Una primera tentativa de clasificación global, operando a la vista de un cuadro métrico-formal, no conduce, pues, a ningún tipo de conclusión. Y ello justamente ocurre porque la distribución acentual obedece, como es normal, a una función expresivo-significativa. (En última instancia, la mayor caracterización de un contexto lingüístico que llamamos poema, es su nueva dimensión formal conseguida por medio de un ritmo especial —poético— que potencia los valores expresivos). Veamos cuál es aquella función en el texto.

En primer lugar nos damos cuenta de que todos los sintagmas nominales, caracterizadores del estilo del soneto como hemos dicho, llevan apoyos rítmico-acentuales tanto en los nombres sustantivos como en los adjetivos. Como la tendencia es a situar esos sintagmas al final de verso, ocurre que comportan en el último de sus elementos el acento de intensidad —en la décima sílaba— de los endecasílabos correspondientes:

> *a*ltos ll*a*nos (v. 1)
> *e*sta rib*e*ra (v. 2)
> t*ie*rra labrad*o*ra y marin*e*ra (v. 3)
> y*e*rmos castell*a*nos (v. 4)
> gr*i*ses calvij*a*res (v. 6)
> n*ie*ve fr*í*a (v. 7), etc.

240

Pero hay más. Si observamos ahora los verbos, comprenderemos en seguida la relevancia significativa de tres de ellos: *huye* (v. 2), *suspiro* (v. 4) y *llevóme* (v. 5). Los tres en el modo de la realidad se sitúan dos en el presente y uno en el pasado, respectivamente, lo que coordina perfectamente con las perspectivas I y II señaladas: en la I expresa sus sentimientos del momento y en la II razona la causa. Los tres verbos comportan sendos acentos rítmicos que de alguna manera realzan su contenido. En el caso de *huye* y de *suspiro* es el primer acento de los endecasílabos correspondientes —en la primera y segunda sílaba respectivamente—, y en el de *llevóme* en la octava —después de otros dos en la primera y sexta—. Además, esta última forma verbal aparece vestida de una especial gravedad, quizás con un matiz de lejanía, por la postposición del pronombre, en consonancia, por otra parte, con el tono de sentenciosidad que comporta la frase anterior —*Nadie elige su amor* (v. 5)— situada entre dos pausas.

Podríamos señalar más casos de potenciación expresiva por medio del apoyo rítmico-acentual, pero me referiré sólo a dos más. En lo que hemos llamado perspectiva II situamos la respuesta razonada del poeta a la interrogante planteada. Esta respuesta se basa, dijimos, en dos conceptos: el *destino* (v. 6) que lo llevó a aquellas tierras y el *amor* (v. 13) que lo unió sentimentalmente a ellas. Pues bien, ambos términos conllevan asimismo sendos acentos rítmicos; en el caso de *destino* el primero —en la tercera sílaba— de un endecasílabo melódico y en el de *amor* en la séptima de un endecasílabo conocido en la terminología métrica bien como dactílico o como variante pura italiana (acentos en 4.ª, 7.ª y 10.ª). Además aparece realzada su función por su situación entre pausas.

VII

El soneto se cierra con un endecasílabo bimembre, que recoge, a manera de colofón, el tono sostenido del verso anterior para terminar en un casi suspiro de lamentación. Evidentemente es un verso con clave, pues se refiere, como apuntábamos, al cementerio del Espino, donde quedó enterrada Leonor. No es ésta la única vez que Antonio Machado hace referencia a ese lugar en concreto. Recordemos los versos finales del poema que dirige a su amigo José María Palacio:

> Con los primeros lirios
> y las primeras rosas de las huertas,
> en una tarde azul, sube al Espino,
> al alto Espino donde está su tierra... [11]

Estos versos fueron también escritos en 1913. Desde Baeza siente las mismas nostalgias de querer apresar el pasado que en el soneto escrito desde Sevilla.

Este es uno de los casos en que el conocimiento de circunstancias biográficas extrapoemáticas ayuda a comprender en toda su significación el poema mismo, al saberse que el último verso se refiere a una realidad evidente, conscientemente eludida aquí por el poeta.

VIII

Otros tres sonetos forman parte de *Los sueños dialogados*. El primero, ya referido, forma conjunto temático con el segundo. Machado no pretende en ninguno de los dos crear una realidad pictórica únicamente —el paisaje como fin—, sino evocar un pai-

---

11. A. Machado, *Obras...*, ed. cit., pág. 180.

saje querido y vivido, grabado para siempre en él, especialmente cuando, después de la muerte de Leonor, se aleja de Castilla. Las dos realidades se confunden en una, expresión poetizada de las angustias del hombre que, refiriéndose a Leonor, confiesa a Unamuno en carta que debió escribir por las mismas fechas en que compuso el soneto comentado: «En fin, hoy vive en mí más que nunca y algunas veces creo firmemente que la he de recobrar» [12].

Los dos últimos sonetos presentan una temática distinta. En el tercero, que comienza «Las ascuas de un crepúsculo, señora...», se presenta el poeta caminando hacia el olvido —¿soledad? ¿muerte?— después de un amor semejante a una tormenta que en el crepúsculo simula una falsa aurora. Va dirigido a una señora que Valverde interpreta como «Pre-Guiomar» [13]. En el cuarto, «¡Oh soledad, mi sola compañía...», el poeta insta a la soledad para que se le presente. Ella es su compañía, su musa y su única confidente en un tiempo en que ya él mismo desiste de conocer su propia identidad.

Los cuatro sonetos forman así un pequeño microcosmo de la poesía de Antonio Machado como creación decantada a partir de vivencias personales. Se podría resumir:

$$\text{Sonetos 1 y 2} \begin{cases} \text{— La esposa muerta} \\ \text{— Castilla} \end{cases} \boxed{\text{ausencia}}$$

$$\text{Sonetos 3 y 4} \begin{cases} \text{— «Pre-Guiomar»?} \\ \text{(Amor en el ocaso} \\ \text{de su vida)} \\ \text{— Vejez} \end{cases} \boxed{\text{soledad}}$$

De esta forma concluimos con algo que ya habíamos adelantado: a pesar de la entidad independiente

12. Idem, pág. 917.
13. *Nuevas canciones...*, ed. cit. de José María Valverde, págs. 176-177.

del soneto estudiado —justificada por su composición muchos años antes— el hecho de formar conjunto con los otros tres en *Los sueños dialogados* amplía sus posibilidades comunicativas al quedar relacionado con ellos en la forma expresada.

INDICE DE TITULOS DE LOS POEMAS
COMENTADOS

INDICE DE PRIMEROS VERSOS DE LOS
POEMAS COMENTADOS

TITULOS PUBLICADOS

PROXIMAS PUBLICACIONES

— PARA UNA LECTURA DE NICANOR PARRA
  Alvaro Salvador Jofre

— SONDEO EN «LUCES DE BOHEMIA», PRIMER
  ESPERPENTO DE VALLE INCLAN
  Carlos Alvarez Sánchez

— EL SEDUCTOR
  Soren Kierkegaard y Pedro Antonio Urbina

— TRES IMAGENES DE JOSE CADALSO: EL CRITI-
  CO, EL MORALISTA Y EL CREADOR
  June K. Edwards